Sou péssimo em
INGLÊS

Carina Fragozo

Sou péssimo em
INGLÊS

TUDO QUE VOCÊ PRECISA SABER PARA ALAVANCAR DE VEZ O SEU APRENDIZADO

Rio de Janeiro, 2024

Copyright © 2018 por Carina Fragozo

Todos os direitos desta publicação são reservados à Casa dos Livros Editora LTDA.

Diretora editorial
Raquel Cozer

Gerente editorial
Renata Sturm

Assistente editorial
Marina Castro

Copidesque
Luana Balthazar

Revisão
Expressão editorial
Clarissa Melo

*Capa, projeto gráfico
e diagramação*
Anderson Junqueira

Fotos da autora
Jéssica Liar

Tirinhas
Estevão Ribeiro

*Os pontos de vista desta obra são de responsabilidade da autora,
não refletindo necessariamente a posição da HarperCollins Brasil, da
HarperCollins Publishers ou de sua equipe editorial.*

CIP-BRASIL. CATALOGAÇÃO NA PUBLICAÇÃO
SINDICATO NACIONAL DOS EDITORES DE LIVROS, RJ

F874s

    Fragozo, Carina
       Sou péssimo em inglês : tudo que você precisa saber para alavancar de vez
o seu aprendizado / Carina Fragozo. - 1. ed. - Rio de Janeiro: HarperCollins, 2018
       128 p.

       Inclui bibliografia
       ISBN 9788595083684

       1. Língua inglesa - Estudo e ensino. I. Título

18-51632   CDD: 421
              CDU: 811.111

Vanessa Mafra Xavier Salgado - Bibliotecária - CRB-7/6644
07/08/2018   09/08/2018

HarperCollins Brasil é uma marca licenciada à Casa dos Livros Editora LTDA.
Todos os direitos reservados à Casa dos Livros Editora LTDA.
Rua da Quitanda, 86, sala 601A — Centro
Rio de Janeiro, RJ — CEP 20091-005
Tel.: (21) 3175-1030
www.harpercollins.com.br

*Aos meus professores, com quem aprendi tanto,
por despertarem em mim o amor pelo ensino.*

*A todos os alunos que passaram pela minha vida, por
terem me mostrado que eu estava no caminho certo.*

*Às centenas de milhares de pessoas que acompanham
as redes do* English in Brazil, *por confiarem, apoiarem
e incentivarem o meu trabalho todos os dias.*

Na era do *clickbait*, Carina Fragozo se destaca como uma das poucas *youtubers* com um trabalho que merece o clique. Ela é uma professora do tipo mais raro, com aulas de inglês que não apenas educam, mas inspiram. Fora do YouTube, em três dimensões em vez de duas, Carina também é uma das perfeccionistas mais dedicadas que você vai conhecer na vida. Ela é meticulosa nas pesquisas, recusando-se a publicar uma dica de gramática ou um truque de pronúncia até que esteja explicado em detalhes e de forma precisa. Esse padrão de perfeição fica evidente nos vídeos brilhantes que ela posta no YouTube, e agora nesse livro igualmente brilhante. O público de Carina pode se preparar para uma leitura valiosa e uma aula de inglês sensacional.

— **GAVIN ROY, autor do canal *SmallAdvantages***

Como uma das educadoras do YouTube mais queridas do Brasil, Carina Fragozo é uma referência, com métodos de ensino acessíveis e uma mensagem inspiradora. Carina tem um entusiasmo inconfundível por aprender e um estilo de ensinar autêntico, baseado na própria experiência em superar obstáculos enfrentados por muitos estudantes. Ela é apaixonada por mostrar aos alunos que eles podem vencer as inseguranças e aproveitar de verdade o aprendizado do inglês. Seu novo trabalho é cheio de lições memoráveis que são, ao mesmo tempo, envolventes e práticas. É uma leitura obrigatória para estudantes de inglês e uma inspiração para qualquer pessoa que esteja se esforçando para sair da zona de conforto.

— ANASTASIA DOUGLAS,
Gerente de Programas do YouTube – Nova York

Sou péssimo em inglês nos motiva a olhar para o aprendizado de inglês de maneira confiante e positiva, sugerindo como aprender a aprender com alto astral, simplicidade e amor. A Carina possui conhecimento profundo sobre teorias de aquisição de segunda língua e tem a rara habilidade de usar o embasamento teórico para redigir um texto de fácil compreensão, divertido e com passo a passo eficiente e realista. Além das dicas práticas, o texto nos leva a refletir sobre a importância de sabermos aonde queremos chegar para então utilizarmos as ferramentas que facilitem essa caminhada. Embora o foco seja *aprender inglês*, muitas das dicas se
aplicam ao aprendizado de qualquer habilidade. Brilhante!

— ANDREIA SCHURT RAUBER,
Doutora em Letras/Inglês pela Universidade Federal de Santa Catarina (UFSC) e Cientista da Fala (Nuance Communications)

SUMÁRIO

APRESENTAÇÃO
11

PREFÁCIO
13

INTRODUÇÃO
15

1) NÃO SEI POR ONDE COMEÇAR
Aprenda a montar um plano de estudos, a organizar seu tempo e a superar o medo de errar para (re)começar os estudos com o pé direito.
17

2) JÁ PASSEI DA IDADE
Entenda o papel da idade no aprendizado de línguas estrangeiras e saiba como tornar o estudo mais prazeroso em qualquer etapa da vida.
36

3) NÃO SEI O QUE ESTUDAR
Saiba como aprender gramática e vocabulário de maneira contextualizada e aprenda a facilitar a internalização de novas informações linguísticas.
49

4) TENHO MUITO SOTAQUE
Entenda o que caracteriza o sotaque estrangeiro e saiba como melhorar a sua pronúncia.
68

5) MEU INGLÊS NÃO EVOLUI
Saiba como alavancar o seu aprendizado e melhorar o listening e o speaking, além de evitar a tradução mental.
91

EU *não* SOU PÉSSIMO EM INGLÊS
Yes, you can! *Leia depoimentos inspiradores de quem conseguiu chegar à fluência ou sabe que em breve chegará lá.*
114

LEIA MAIS
121

APRESENTAÇÃO

Começo o meu texto com uma confissão:

Costumava torcer o nariz para canais de YouTube dedicados ao ensino do inglês.

Um, por ter aprendido o idioma nos anos 1980, bem antes da internet. Vídeos on-line não fizeram parte da minha jornada de aprendiz, o que me coloca, logo de cara, na posição de *outsider*. Dois, por pertencer ao chamado *mainstream* do ensino do inglês no Brasil e sempre ter trabalhado em escolas e editoras alinhadas com diretrizes estabelecidas por órgãos internacionais – a chamada ortodoxia, digamos assim. Ou seja, os meus parâmetros do que é lógico, aceitável, útil e conceitualmente correto no ensino de um idioma são bem delineados e, para o bem e para o mal, relativamente imutáveis.

E, finalmente, motivo número três: Não acredito em milagres. Talvez grande parte do meu desconforto viesse daí.

Internet afora, tem muita gente, bem-intencionada ou não, prometendo mundos e fundos. "Fluência total em um ano!", como se aprender um idioma fosse um processo simples, com começo, meio e fim. "Chega de gramática!", como se aprender a língua materna e se comunicar em outro idioma fossem processos idênticos. "Pense em inglês já!", como se houvesse a certeza de que o ato de pensar é eminentemente linguístico. Há, em geral, uma infinidade de erros conceituais, dicas questionáveis e metas inatingíveis.

Para quem precisa aprender ou melhorar o inglês fora da sala de aula, a internet ainda é um campo minado. Precisamos de mais clareza, de mais rigor acadêmico, de mais seriedade – seriedade sem sisudez.

Precisamos de mais Carinas.

Conheci Carina Fragozo em 2016, durante uma série de palestras que ministramos juntos no Rio de Janeiro. Logo de cara, percebi que se tratava de uma profissional séria, com bagagem acadêmica acima da média e ótimo nível de inglês. Até então, não sabia que Carina já tinha, há alguns anos, um canal no YouTube com milhares de seguidores. Busquei, então, conhecer, seu trabalho melhor.

Encontrei uma série de vídeos acessíveis, úteis, divertidos e bem produzidos, esteticamente bem antenados com o que se espera desse tipo de mídia no século 21. O que não encontrei foram promessas impossíveis, conceitos deturpados, falácias e meias verdades mal exploradas. Que agradável surpresa descobrir que a responsabilidade acadêmica que eu havia detectado na palestra de Carina norteava, *também*, o seu trabalho on-line.

Tudo isso a coloca, acredito, em uma posição especial no nosso mercado de ELT (*English Language Teaching*) – a de alguém que busca unir o melhor de dois mundos em prol do sucesso dos(as) alunos(as): pragmatismo e teoria, descontração e solidez, apelo de massa e rigor acadêmico.

Então, quando Carina me pediu para avaliar e endossar *Sou péssimo em inglês*, de certa forma eu já sabia o que encontraria na obra: um livro bem embasado, inspirado nas necessidades reais do(a) leitor(a) e que fala diretamente com ele/ela, sem muitos rodeios ou devaneios acadêmicos inúteis.

Uma obra acessível, realista, responsável e conceitualmente precisa – como seus vídeos.

Leia sem parcimônia.

— **LUIZ OTÁVIO BARROS**
(MA Hons, Lancaster University), professor,
palestrante e autor de livros didáticos.

PREFÁCIO

uito embora sejam vistos como sinônimos, adquirir uma língua e aprender uma língua são conceitos diferentes. Adquirir é um processo inconsciente, que ocorre na infância (aquele que ocorre com os bebês); aprender, por outro lado, implica um processo consciente, que pode ocorrer em qualquer época da vida. Há outras diferenças: a aquisição de primeira língua (ou de primeiras línguas, no caso de bilinguismo) se dá sem esforço e não há, em condições normais, um ser humano que não adquira uma língua. O aprendizado, por outro lado, implica um movimento em direção ao que se quer. Não se fala de técnicas para ensinar uma língua a um bebê, ele simplesmente está exposto à língua ambiente. No caso do aprendizado, técnicas são necessárias, e muitas vezes pessoas diferentes usam de técnicas diferentes para entender, gravar e utilizar o que aprenderam.

Este livro é sobre aprendizagem. Carina desenvolveu paralelamente sua atividade acadêmica na universidade com a expansão da sua vontade de continuar a ensinar inglês e, no mesmo ano em que começou seu doutorado, publicou também seu primeiro vídeo no canal *English in Brazil*. Os dois interesses convergiram na escolha do seu tema de pesquisa: ela foi pesquisar se e como brasileiros aprendizes de inglês conseguiriam dominar três regras fonológicas. A escolha pela fonologia não foi aleatória: da mesma forma que uma das primeiras coisas que adquirimos em uma primeira língua é a parte sonora, esta é uma das que temos menos consciência e que, portanto, mais deixam marcas quando aprendemos uma segunda língua. Sua tese trouxe importantes contribuições para a pesquisa sobre aquisição/aprendizagem de segunda língua. Aprendemos muito sobre o que é possível e o que não é possível aprender, e alguns dos resultados ela apresenta neste livro. Aqui, ela retoma sua veia de professora, mas incorpora também os resultados de seus anos de pesquisa na universidade.

Este livro não é uma gramática, é um livro que ensina a aprender e, por isso, podemos dizer que ele transcende os limites da aquisição do inglês. O livro pode ser interpretado como tendo três grandes temáticas: para aqueles que estiverem interessados, muito do que Carina discute aqui pode ser utilizado em qualquer situação de aprendizado: inglês, disciplina na escola/faculdade, lidar com um programa de computador. Essa é a parte da disciplina, da motivação, da importância do erro, do estabelecimento de metas e busca de melhores técnicas de aprendizagem (para cada situação). O segundo tema diz respeito ao aprendizado de uma língua – e aqui este livro pode ser interpretado como "Sou péssimo em ___ (e preencha aqui com a língua que desejar aprender)": Carina discorre sobre a influência da idade na aquisição de línguas, a diferença entre sotaque e pronúncia, o aprendizado implícito e explícito, os erros de transferência e desenvolvimento, e o platô linguístico. E, claro, o objeto principal do livro, o aprendizado do inglês, com a discussão de inúmeros tópicos que a autora traz dessa língua.

A principal mensagem deste livro é que qualquer pessoa pode, sim, aprender inglês (e qualquer outra língua). E Carina está correta. Ninguém aqui tem a pretensão de aprender inglês para ser um espião; por isso, qual o problema do sotaque (e entrego aqui meu capítulo favorito)?

Assim como tem sido um prazer acompanhar a trajetória acadêmica da Carina, é igualmente um prazer dizer que temos muito a aprender com este livro. Boa leitura e bons estudos!

— RAQUEL SANTANA SANTOS

Professora Doutora do Departamento de Linguística
da Universidade de São Paulo

INTRODUÇÃO

Sou péssimo em inglês. Ao longo da minha carreira como professora, você não tem noção de quantas vezes eu já escutei essa frase. Por falta de identificação com a língua, dificuldade de pronunciar novos sons, medo de errar e até por falta de dinheiro, muita gente pensa que aprender inglês é um bicho de sete cabeças e que jamais conseguirá dominar o idioma que nos conecta com o mundo. Mas será que você é mesmo péssimo em inglês? A resposta é simples: talvez você esteja utilizando as técnicas de estudo erradas, talvez você esteja desmotivado, talvez você precise de foco, mas certamente você *não é péssimo*. Digo isso porque eu mesma cheguei a pensar que jamais conseguiria falar inglês com a mesma naturalidade que falo o português e eu não só consegui, como me tornei professora e especialista no assunto. Assim que comecei a utilizar as técnicas corretas, o processo de aprendizagem se tornou tão prazeroso que, quando percebi, estava fluente mesmo sem sair do Brasil. Hoje posso dizer que a língua inglesa mudou a minha vida e determinou todas as escolhas que fiz na minha carreira. E é com muito prazer que compartilho com você aqui neste livro tudo o que aprendi ao longo desses anos.

Se você ainda não é fluente em inglês, saiba que não está sozinho. Apesar de ser praticamente um consenso que saber inglês abre muitas portas, a maioria dos brasileiros ainda não tem o domínio da língua. Pesquisas recentes realizadas pela Catho e pela EF Education First estimam que apenas 3% da população local é fluente em inglês e que o Brasil é um "país com baixa proficiência". E todos nós conhecemos alguém que, em algum momento, sentiu na pele as consequências de ainda não dominar a língua. Há quem já tenha perdido boas oportunidades na carreira, de interagir em eventos importantes ou de acessar o artigo perfeito para o trabalho da faculdade que não está dis-

Carina Fragozo ‹ **15**

ponível em português. Também há aqueles que simplesmente perderam uma piada no Oscar porque, quando traduzida, não tem a menor graça, a poesia em uma música que só faz sentido em inglês ou a chance de fazer amigos estrangeiros.

É interessante observar que até mesmo a pequena parcela da população que tem acesso a cursos de idiomas no Brasil parece "patinar" no que diz respeito a alcançar a fluência. Será que isso é falha das escolas ou há outros problemas envolvidos? Bem, é claro que há muitos pontos a serem melhorados com relação aos métodos de ensino aplicados nas escolas e nos cursos de idiomas, mas definitivamente não é a minha intenção discuti-los neste livro. O meu objetivo é fazer você olhar para si mesmo para tentar entender o que pode estar atrapalhando o seu aprendizado e o que você pode fazer para melhorar a partir de *hoje*, sem depender de mais ninguém.

Com base nas perguntas que recebo diariamente por meio dos comentários no canal *English in Brazil*, abordo em cada capítulo um problema que pode fazer você acreditar que é péssimo em inglês e trago novas perspectivas sempre com embasamento em pesquisas na área da linguística teórica e aplicada. Não sabe por onde começar? Não gosta de inglês? Não tem dinheiro para investir em cursos ou intercâmbios? Precisa melhorar sua pronúncia? Já tentou estudar, mas sempre acaba desistindo? Calma, eu entendo você. E nos capítulos a seguir compartilho uma série de estratégias que vão te ajudar a alcançar a tão sonhada fluência de forma prazerosa e, o mais importante, sem traumas!

1) NÃO SEI POR ONDE COMEÇAR

Não faz tanto tempo assim que comecei a estudar inglês, mas às vezes parece até que foi na era dos dinossauros. Para estudar com minhas músicas favoritas, era preciso comprar CDs e acompanhar as letras e traduções nos encartes ou em revistas especializadas. Para procurar o significado de palavras novas, carregava o meu bom e velho dicionário para tudo que era lado. Conversar com um estrangeiro em inglês? Impossível, pois não conhecia nenhum na minha cidade, e intercâmbio era um sonho muito distante.

De lá para cá, muita coisa mudou. Hoje em dia bastam alguns cliques para se ter acesso a uma infinidade de conteúdos em língua inglesa e conversar com pessoas do mundo todo. O acesso à informação nunca foi tão fácil, e isso é simplesmente fantástico! Acontece que tanta informação pode acabar se tornando um problema se você não souber se organizar e selecionar o que é realmente importante para o seu aprendizado.

Neste capítulo, falaremos sobre os primeiros passos para iniciar (ou retomar) os estudos, desde a importância de traçar metas e desenvolver um plano de estudos até a superação da falta de afinidade com o idioma e o medo de errar. Está pronto para (re)começar com o pé direito? Então, vamos lá!

Como se organizar?

Aprender uma língua estrangeira é um processo de longo prazo e, por isso, requer foco, motivação e dedicação. E ter foco para atingir o sucesso em qualquer projeto fica bem mais difícil quando você não define para si mesmo o que é esse sucesso. Você já parou para pensar no que o levou a desejar aprender inglês? Por que saber inglês é importante para você? Por que você está lendo este livro? E o que você vai fazer com o inglês que aprender? Só você tem as respostas para essas perguntas, e elas serão muito importantes durante todo o processo de aprendizagem.

Traçar metas de longo prazo é um exercício de reflexão muito válido para que você consiga visualizar aonde quer chegar e para se manter motivado mesmo quando os primeiros desafios começarem a surgir. Por isso, agora, respire fundo e visualize tudo aquilo que pretende alcançar com os seus estudos, sem estabelecer nenhum prazo por enquanto. Inspire-se nos exemplos a seguir e escreva suas metas no papel. Não se preocupe em estar certo ou errado, apenas seja honesto consigo mesmo.

Exemplos de metas de longo prazo
> ❯ *Não quero mais me sentir inseguro ao falar inglês.*
> ❯ *Quero poder colocar "inglês avançado" no meu currículo.*
> ❯ *Quero conseguir ler em inglês tão bem quanto leio em português.*
> ❯ *Quero conseguir entender um filme em inglês.*
> ❯ *Não quero mais perder oportunidades porque não falo inglês.*

Guarde essas anotações e, sempre que se sentir cansado ou desmotivado, releia seus objetivos e lembre-se do seu propósito. Não deixe ninguém dizer que você não é capaz, que seus sonhos são bobagens ou que você não vai conseguir aprender inglês por motivo X ou Y, porque *você é capaz, seus sonhos são importantes* e, fazendo a coisa certa, *você vai conseguir*. Estamos combinados?

Agora que você já sabe aonde quer chegar, o próximo passo é quebrar essas metas em objetivos menores. Há muitas, muitas coisas que podemos aprender em uma língua, por isso, é necessário focar naquilo que é realmente importante em cada momento do seu aprendizado. Por exemplo, será que vale a pena aprender vocabulário relacionado a leis e à justiça em inglês? Considerando-se que isso pode ajudar você a assistir a séries e filmes sobre o tema e a estar preparado para o dia em que esses assuntos surgirem em uma conversa, sim. Mas será que estudar isso é indispensável para quem está começando a aprender o idioma? A menos que você trabalhe nessa área, certamente, não. Por isso, cabe a você refletir sobre os motivos que o levaram a desejar aprender inglês e, a partir disso, traçar suas próprias metas específicas.

Vejamos como isso funciona na prática. Suponhamos que o seu objetivo seja aprender inglês para uma viagem de turismo. Visualize tudo que envolverá, de alguma forma, o uso do inglês nessa viagem: localizar-se no aeroporto, pedir um prato no restaurante, pedir uma informação, fazer compras etc. Pronto, você já tem objetivos mais específicos: estudar vocabulário de aeroporto, aprender frases úteis para usar no restaurante e assim por diante. O mesmo pode ser feito se o seu objetivo for ter mais confiança para se comunicar em inglês no trabalho, por exemplo. Para estabelecer objetivos mais específicos, pense em todas as tarefas que você precisará realizar utilizando o idioma, como atender ao telefone, escrever um e-mail, recepcionar um cliente estrangeiro, apresentar um projeto e assim por diante.

Sejam quais forem os seus objetivos, é fundamental que eles sejam realmente úteis para a sua vida, porque isso tornará o aprendizado da língua significativo para você. Quanto mais específicos eles forem, mais fácil será partir para o segundo passo: elaborar um plano de estudos. Independentemente de estar estudando inglês de forma autônoma ou com o auxílio de um professor, ter um plano de estudos que inclua tarefas e prazos pode servir como estímulo para você se manter focado em ter algum progresso até a data estipulada. Mas cuidado para não cair na besteira de usar como meta anúncios do tipo "fale inglês como um nativo em dois meses" ou "aprenda inglês em 24 horas", pois é fundamental que seus prazos sejam realistas e façam sentido para você.

Mais uma vez, vejamos como isso funciona na prática: suponhamos que você tenha uma viagem de turismo para Nova York marcada para daqui a dois meses e o seu objetivo seja aprender o necessário para conseguir "se virar" por lá. O primeiro passo para montar o seu plano de estudos é decidir quanto tempo você poderá estudar/praticar o inglês por dia. E eu consigo até ler a sua mente aí do outro lado pensando: *Por dia? Você quer dizer... todos os dias?* Sim, é isso mesmo. Independentemente do seu objetivo, estudar inglês só uma vez por semana é *mancada*. Se quiser acelerar seu aprendizado, organize-se para estudar ou ter algum contato com a língua inglesa praticamente *todos os dias*, pois é muito mais eficiente se dedicar a estudar nem que seja vinte minutinhos diariamente do que passar o domingo inteiro em cima dos livros e depois só retomar os estudos na outra semana. A ideia que você verá ao longo de todo este livro é trazer o inglês para a sua vida para que você não só aprenda com mais rapidez e facilidade, como também não esqueça tudo aquilo que já estudou.

Então, voltando ao exemplo da viagem: consideremos que você tenha decidido estudar inglês por quarenta minutos todos os dias até a data do embarque. Pare para pensar: serão 2.400 minutos, ou quarenta horas de estudo até o dia da viagem. Um bocado de tempo, não é? Perceba como é possível começar, aos poucos, a inserir o inglês na sua vida sem precisar virar noites de estudo ou deixar de se divertir com os amigos no fim de semana.

20 › *Sou péssimo em inglês*

Se é possível aprender a falar como um americano estudando por dois meses? Não. Mas dá para aprender alguma coisa em tão pouco tempo? É claro que sim, e *muita* coisa!

Com o tempo total de estudo em mente, você pode estipular prazos mensais, semanais e até diários para o cumprimento de cada meta, dependendo de quão específicas elas sejam. Assim, ficará muito mais fácil montar o próprio plano de estudos e verificar o seu progresso, conforme o modelo a seguir.

Exemplo de plano de estudos

> OBJETIVO: *aprender inglês para "me virar" na viagem a Nova York.*

> PRAZO ATÉ A VIAGEM: *dois meses.*

> METAS ESPECÍFICAS: *estar preparado para fazer e responder perguntas no avião e no aeroporto; saber fazer um pedido no restaurante; conseguir pedir uma informação; conseguir fazer o* check-in *no hotel; ser capaz de ler um* folder *explicativo etc.*

> PLANO DE AÇÃO:

– Semana 1: *aprender vocabulário e expressões comuns utilizadas no avião e no aeroporto e me informar sobre quais perguntas geralmente os oficiais fazem na imigração.*

• Segunda-feira: *assistir a vídeos sobre vocabulário de aeroporto e avião para me familiarizar com o assunto.*

• Terça-feira: *aprender a receber e pedir informações sobre o meu voo, sobre as minhas bagagens e sobre o meu embarque.*

• Quarta-feira: *verificar que tipo de pergunta os comissários de bordo poderão me fazer durante o voo e planejar possíveis respostas.*

• Quinta-feira: *praticar frases que poderei precisar dizer dentro do avião, como "preciso de um fone de ouvido" ou "eu gostaria de um copo de água".*

• Sexta-feira: *me informar sobre as perguntas que o oficial de imigração poderá fazer e preparar as minhas respostas.*

• Sábado: *revisar todo o conteúdo estudado durante a semana.*

• Domingo: *dia livre para descansar ou ter algum contato com o inglês que não esteja no roteiro (por exemplo: assistir a um filme, ler uma notícia etc.).*

– Semana 2: *aprender vocabulário relacionado a restaurantes e lanchonetes.*
  • Segunda-feira: ...
– Semana 3: ...

Em suma, a ideia é substituir metas muito amplas, como *Eu preciso ficar fluente o mais rápido possível,* por metas mais específicas e com prazos realistas, como *Hoje eu preciso aprender o que dizer ao telefone* ou *Até o fim do mês quero conseguir ler notícias com mais facilidade.* Você pode inclusive planejar atividades em vez de conteúdos específicos a serem estudados por dia, por exemplo: *Na segunda, assistirei a vídeos que ensinam inglês; na terça, lerei um texto com atenção; na quarta, aprenderei a cantar e a entender uma música,* e assim por diante.

Então, que tal investir alguns minutos em planejamento e colocar no papel as suas metas de longo, médio e curto prazo e, talvez, montar o seu próprio plano de estudos? Você vai ver: não há nada melhor do que cumprir um objetivo e poder riscá-lo da sua listinha.

ESCOLA DE INGLÊS, AULA PARTICULAR OU SOZINHO?

Qual a melhor forma de estudar inglês: matriculando-se em um curso de idiomas, com aulas particulares ou sozinho[1]? Mais uma vez, não há resposta certa ou errada, pois tudo dependerá do seu perfil de aprendizagem. Algumas pessoas são excelentes autodidatas e conseguem mergulhar de cabeça nos estudos utilizando os materiais disponíveis na internet e nos livros. Outras não conseguem sair do lugar se não tiverem a ajuda de um professor ou o compromisso de sair de casa. Para ajudar você nessa decisão, vejamos alguns aspectos de cada um desses contextos.

---

1 Entenda "sozinho" como "de maneira autônoma", sem o auxílio de um professor ou tutor.

Uma das possibilidades é fazer aulas em uma escola de idiomas, escolha perfeita para quem gosta de interagir com outras pessoas e ter um compromisso semanal para focar nos estudos. Em boas escolas, o professor é preparado para falar pouco em sala de aula e dar o máximo de oportunidade para os alunos interagirem entre si usando a língua inglesa em atividades, jogos e discussões. Para quem tem muita dificuldade de se organizar sozinho, cursar pelo menos um semestre em uma escola pode ser uma boa saída, pois o cronograma de estudos já está planejado pela instituição e você consegue identificar o seu nível de inglês, já que normalmente se faz um teste de nivelamento no período da matrícula. O fato de dividir a atenção do professor com os outros alunos da turma pode ser visto como algo positivo ou negativo: se, de um lado, você tem menos tempo para esclarecer dúvidas específicas, de outro, pode aprender com os erros dos colegas e se sentir mais à vontade para praticar o idioma em grupo. Um dos pontos negativos é ter que seguir o cronograma do livro, que às vezes pode ser muito lento ou muito rápido para você.

No caso de aulas particulares, a atenção do professor é 100% dedicada a você, e as aulas são moldadas para a sua necessidade. Por não ter que dividir a atenção do professor com outros alunos, você participa muito mais e percebe com mais facilidade o progresso no aprendizado. As aulas particulares também são ótimas para quem leva uma vida corrida, pois o professor poderá vir até a sua casa ou local de trabalho, e você escolhe o melhor horário para estudar. Esse modelo também é ideal para quem tem objetivos mais específicos, como treinar para uma apresentação no trabalho ou se preparar para uma viagem, pois com aulas personalizadas o aprendizado tende a ocorrer de forma mais rápida.

Uma terceira possibilidade é se tornar um autodidata, isto é, estudar inglês por conta própria, sem o auxílio de um professor ou mentor. É claro que é possível aprender inglês sem cursos, sem aulas e até sem professor, mas definitivamente isso não funciona com todo mundo. Para aprender um idioma de maneira autônoma é necessário ter o dobro de organização e persistência, pois você não vai contar com a cobrança ou o incentivo de ninguém além de você mesmo. Você terá que selecionar materiais de estudo, procurar respostas para suas dúvidas e organizar o seu cronograma de aulas. Justamente pela necessidade desse nível de responsabilidade e organização, muitas pessoas conseguem atingir resultados surpreendentes estudando de forma autodidata, muitas vezes até melhores do que aqueles que estudam em cursos ou aulas particulares. O grande desafio, nesse caso, será encontrar pessoas dispostas a praticar a língua com você.

Se ainda está confuso para saber qual a melhor forma de começar a estudar inglês, faça as seguintes perguntas a si mesmo:

1. *Eu posso arcar com os custos de um curso de inglês ou professor particular?*

2. *Eu gosto de estudar em grupo ou prefiro ter a atenção individual do professor?*

3. *Quanto tempo eu tenho para aprender?*

4. *O que eu quero aprender é muito específico?*

5. *Eu consigo ser persistente sem alguém me cobrando?*

Independentemente da conclusão a que você chegar, é importante estar consciente de que o maior responsável pela sua evolução será *você mesmo*. De nada adianta se matricular na escola mais cara da sua cidade, investir em um professor particular superqualificado, gastar muito dinheiro em livros, comprar um curso on-line ou fazer intercâmbio para um país falante de língua inglesa se você não estiver disposto a fazer sua parte. Lembre-se da importância de estar em contato com a língua todos os dias e busque colocar em prática as dicas que verá ao longo deste livro para, de fato, conseguir acelerar o seu aprendizado.

E QUEM NÃO GOSTA DE INGLÊS?

Eu sempre gostei de inglês. Desde criança achava linda a musicalidade do idioma, tanto que adorava brincar de olhar para o espelho e fingir que estava discursando em inglês enquanto produzia uma série de sons sem sentido. Essa paixão aumentou conforme fui crescendo, e estudar inglês se tornou uma atividade tão prazerosa que aos dezesseis anos já tinha a certeza de que me tornaria professora. Mas é claro que nem todo mundo tem essa mesma atitude positiva com relação ao aprendizado de inglês. Para muitas pessoas, estudar a língua é uma obrigação, uma chatice, um verdadeiro martírio. Por medo de se exporem, por falta de tempo ou por não se identificarem com o idioma e com a cultura dos países em que é falado, algumas pessoas desenvolvem um bloqueio mental que pode de fato impedir o aprendizado.

Manter o foco em projetos de longo prazo, como aprender uma língua estrangeira, pode não ser muito fácil. Por isso, é fundamental que você consiga manter, de alguma forma, a motivação, que pode ser *intrínseca* ou *extrínseca*. A motivação intrínseca ocorre quando há um desejo de fazer algo porque a tarefa é interessante e agradável. No caso do inglês, seria aquele desejo de estudar a língua simplesmente porque você gosta de estudar e de aprender coisas novas. Já a motivação extrínseca é quando há um desejo de se fazer alguma coisa por causa de uma recompensa externa, como aumentar o salário, tirar boas notas ou ser aprovado em um concurso. Ambos os tipos de motivação podem ajudar a impulsionar o seu aprendizado, mas a motivação intrínseca tende a ser mais poderosa, porque permanece mesmo quando as recompensas acabam.

Vou dar um exemplo fora do mundo do aprendizado de línguas para isso ficar mais claro: eu sempre detestei fazer academia. Levantar peso? Nem me fale. Mas eu também sempre soube que praticar exercícios é fundamental para mantermos uma vida saudável, e isso ficou cada vez mais claro quando os trinta chegaram e as minhas costas começaram a doer. Então, precisei buscar

Carina Fragozo ‹ **25**

um motivo para voltar à academia, uma meta de curto prazo que me fizesse ter coragem de sair de casa mesmo quando a preguiça dominasse meu ser. Coloquei na cabeça que perderia pelo menos dois quilos para caber em um vestido que estava apertado. Entrar naquele vestido seria a minha recompensa, a minha *motivação extrínseca*. Comecei fazendo somente as atividades de que eu gostava, que eram aulas de *spinning* e de *power jump*, com música bem alta. Aos poucos, meu professor foi me encorajando a fazer o treino de musculação também e eu fui fazendo, meio a contragosto... Até que consegui entrar no vestido! E é claro que fiquei muito feliz por atingir essa primeira meta, mas estava confiante de que *desta vez* eu não iria parar de me exercitar com regularidade por questão de saúde, e não mais para caber em vestidos. Aos poucos, comecei a ter disposição e até (pasme!) *vontade* de fazer exercícios. Consegui, depois de muito tempo, sentir prazer em me exercitar, pois encontrei atividades que, mesmo combinadas com aquela parte mais chata de levantar peso, acabam sendo bastante prazerosas. Encontrei, finalmente, a *motivação intrínseca,* aquela que vem de dentro e que não precisa necessariamente de recompensa para surgir. E hoje eu posso dizer que até gosto de ir à academia, por incrível que pareça.

O que eu quero dizer com isso é que, se eu consegui aprender a gostar de fazer exercícios, tenho certeza de que você também pode aprender a gostar de inglês. Comece com atividades que, de alguma forma, sejam prazerosas para você e, aos poucos, introduza aquelas de que você não gosta tanto, mas considera necessárias para o seu desenvolvimento. E tenha em mente que é melhor fazer pouco, mas com frequência, do que não fazer nada. O lema deve ser progresso, não perfeição.

Seria bom se pudéssemos tomar uma "pílula do conhecimento" ou uma "pílula do corpo sarado" para atingirmos o nosso objetivo sem termos que fazer esforço algum? Talvez. Mas perderíamos toda a satisfação de nos desafiarmos, de acompanharmos nossa evolução e de curtirmos o trajeto, que pode ser tão interessante quanto o destino final.

MAS... E SE EU ERRAR?

Ter medo de errar é praticamente um clássico entre os estudantes de inglês e, por isso, considero relevante falarmos sobre o assunto logo no primeiro capítulo deste livro. Quem nunca sentiu pelo menos um friozinho na barriga na hora de responder uma pergunta em voz alta ou de expor uma opinião em inglês? Eu confesso que já senti essa insegurança muitas vezes, não só no início do aprendizado, mas também quando já tinha alcançado a fluência. Quando minhas professoras pegavam elevador comigo e puxavam assunto em inglês, então... que frio na espinha! Mas, por que será que isso acontece? E quais as consequências disso? Primeiramente, é importante refletirmos sobre o que significa *cometer um erro* em um idioma.

Um erro pode ser entendido como uma forma desviante do padrão esperado. E qual seria esse padrão? A princípio, poderíamos considerar que o padrão é a norma culta, isto é, aquilo que os livros de gramática consideram correto. Observe o quadro a seguir:

	CORRETO	INCORRETO
PORTUGUÊS	As casas do bairro.	As casa do bairro.
	Fui ao shopping.	Fui no shopping.
	Assisti ao vídeo.	Assisti o vídeo.
INGLÊS	She doesn't care.	She don't care.
	There are lots of people.	There's lots of people.
	I should have gone there.	I should have went there.

Perceba que, se considerarmos a gramática tradicional como o padrão a ser alcançado, frases como *As casa do bairro, Fui no shopping* e *Assisti o vídeo* seriam consideradas erradas,

Carina Fragozo ‹ **27**

apesar de ocorrerem com muita frequência na fala dos brasileiros. O mesmo ocorre nos exemplos do inglês: produzir *She don't care (Ela não se importa)* em vez de *She doesn't care*, *There's lots of people (Há muitas pessoas)* em vez de *There are lots of people*, e *I should have went to the store (Eu deveria ter ido à loja)* em vez de *I should have gone to the store* seriam consideradas erradas, apesar de serem comuns nas produções de falantes nativos da língua inglesa.

Mas a verdade é que as pessoas não falam 100% do tempo exatamente como os livros de gramática prescrevem, pois a língua falada é mais espontânea e muito mais suscetível a mudanças do que a escrita. O interessante é que alguns "erros" como os apresentados anteriormente aparecem inclusive na fala daqueles que conhecem muito bem a norma culta da sua língua. Em Porto Alegre, por exemplo, combinações como *tu leu* e *tu anda* são bem aceitas e até mais comuns do que o padrão *tu leste* e *tu andas*, inclusive na fala dos mais escolarizados. Mas é claro que nem sempre os erros são tão bem aceitos assim. A falta de concordância em casos como *nós vai*, no português, ou *you was*, no inglês, comum na fala dos menos escolarizados, é normalmente estigmatizada e malvista pelos membros da comunidade. Esses erros podem ser entendidos, portanto, como desvios da norma-padrão que, apesar de não comprometerem a comunicação, estão sujeitos a certo julgamento de aceitabilidade social.

Outra possibilidade seria considerarmos "erro" aquilo que não pertence a um idioma. Observe:

a. *Nós vai jantar mais tarde.*
b. **Tarde mais jantar vai nós.*
c. *We going to have dinner later.*
d. **Going dinner we later to have.*

Em uma visão mais ampla, podemos considerar que os quatro exemplos acima contêm algum tipo de erro. Mas você deve concordar comigo que são erros de naturezas bem diferentes, não é mesmo? A diferença é que, no caso de (a) e (c), o erro consiste no desvio da norma culta (o correto seria *nós vamos* e *we are going*), enquanto (b) e (d) violam as regras gramaticais do português e do inglês num sentido muito mais profundo. Apesar de (a) e (c) conterem erros, dizemos que elas são frases *gramaticais,* pois pertencem à língua portuguesa e à língua inglesa, enquanto (b) e (d) são *agramaticais,* porque não respeitam as regras do conhecimento linguístico internalizado do falante e não fazem parte dessas línguas. Se, por um lado, os erros que geram frases gramaticais não impedem a comunicação mesmo estando sujeitos ao julgamento dos membros da sociedade, por outro, os erros que resultam em frases agramaticais podem fazer com que a comunicação seja prejudicada.[2]

Mas o que isso tudo tem a ver com o aprendizado de uma língua estrangeira? Acredite, tem tudo a ver. O fato é que, durante o processo de aprendizagem, erros serão inevitavelmente cometidos, tanto no sentido de "desvios da norma culta" quanto no sentido de "produção de frases agramaticais", ou seja, que não existem no idioma sendo adquirido. Não podemos negar que a palavra "erro" geralmente vem carregada de um sentido negativo, algo a ser evitado de todas as formas, mas é importante estarmos cientes de que os nossos erros são uma evidência de que o aprendizado está acontecendo, uma etapa muito importante de todo esse processo. Por mais clichê que isso possa parecer, é errando que se aprende!

Mas, por que erramos? E de onde vêm os nossos erros? Bem, podemos classificar os erros cometidos pelos aprendizes de idiomas em pelo menos duas grandes categorias: erros de transferência e erros de desenvolvimento. Os *erros de transferência* são aqueles que resultam da influência da nossa língua materna. Conforme veremos com mais detalhe no Capítulo 4, muitos dos erros que cometemos na língua inglesa são influen-

---

2 Frases agramaticais são normalmente marcadas com um asterisco (*) nos estudos linguísticos. O único critério para julgar se uma frase é gramatical ou agramatical é a intuição do falante nativo (Cf. Chomsky, 1957).

cia do nosso conhecimento da língua portuguesa. Vejamos alguns exemplos:

ERROS DE TRANSFERÊNCIA		
	ERRO	FORMA ESPERADA
GRAMÁTICA	I have 20 years.	I am 20 years old.
PRONÚNCIA	I'm afraid of hats [hæts].	I'm afraid of rats [ræts].
USO	Waiter, I want a Coke.	Can I have a Coke, please?

Perceba que, por influência do português, é comum cometermos erros de gramática como *I have 20 years*, tradução literal de *Eu tenho 20 anos*. Também cometemos erros de pronúncia como *I'm afraid of [hæts]*, que significa *Tenho medo de chapéus* (*hats*), em vez de *I'm afraid of [ræts]*, que significa *Tenho medo de ratos* (*rats*), simplesmente por usarmos o som do "r" do português em vez de usar o do inglês. Também é comum cometermos erros relacionados ao uso da língua, como na sentença *Waiter, I want a Coke*, tradução literal de *Garçom, quero uma Coca-Cola*. Embora a frase esteja correta do ponto de vista gramatical, ela pode soar muito rude em inglês, porque pedir a atenção do garçom chamando-o pelo nome da profissão pode ser considerado ofensivo. Além disso, fazer um pedido utilizando a estrutura *I want* (eu quero) é muito menos educado do que utilizarmos a estrutura *Can I have a...* ou *May I have a...* independentemente de se utilizar uma entonação amigável ou não. Exemplos como esses mostram que aprender um idioma significa não só aprender novas palavras, novas estruturas gramaticais e novos sons, mas também novas formas de utilizá-lo em diferentes contextos.

Mas e os *erros de desenvolvimento*? Estes não são influenciados pela língua materna e resultam de hipóteses e generalizações mal formuladas pelo aprendiz sobre o idioma sendo adquirido. Em outras palavras, seriam erros relacionados ao fato de o aprendiz ainda não ter adquirido as regras que regem a língua estrangeira. Por exemplo, quando começamos a aprender inglês, é comum usarmos a forma do passado de verbos regulares em verbos irregulares por acharmos que a regra se aplicaria a todos os verbos. Veja:

ERROS DE DESENVOLVIMENTO		
VERBO NO PRESENTE	SUPERGENERALIZAÇÃO DA REGRA DO PASSADO	FORMA ESPERADA
work	I worked a lot yesterday.	worked
like	She liked him.	liked
go	I *goed to the party last night.	went
eat	I *eated another cookie.	ate

Os erros nas duas últimas frases do quadro anterior envolvem o seguinte raciocínio: "se o passado de *work* é *worked* e o de *like* é *liked,* o passado de *go* e *eat* só pode ser *goed* e *eated!*". Nesse caso, por supergeneralização da regra do passado dos verbos regulares do inglês, o aprendiz aplica o *-ed* em verbos irregulares, causando o erro.

Está vendo como é bonito o nosso processo de aprendizagem? Nossos erros não surgem do nada, mas são resultado de estarmos constantemente buscando formular hipóteses, raciocinando e fazendo referência ao conhecimento da nossa língua materna. Errar não nos faz menos capazes ou menos inteligentes. Muito pelo contrário! Só erra quem tenta, quem busca aprender coisas novas e quem sai da zona de conforto.

Em situações de comunicação na "vida real", no sentido de "fora da sala de aula", a maioria das pessoas ignora nossos erros e foca na mensagem, fazendo um esforço para entender o que estamos tentando dizer. E você pode estar aí pensando: *Ai, meu Deus, e se não me entenderem?* Simples, basta você tentar usar outras palavras, falar mais devagar ou, em casos de emergência, apelar para os gestos, que normalmente acabam dando aquela ajudinha. *Ai, meu Deus, e se eu não entender as pessoas?* Isso vai acontecer, sim, e *muitas vezes*! A solução aqui é ter na ponta da língua frases como *Excuse me?* ou *Sorry?*, que equivalem a *O que você disse?*, ou *Could you please speak slowly?*, que significa *Você poderia falar devagar, por favor?*. Com essas frases mágicas, a pessoa vai repetir o que disse e dar a você mais uma chance de compreender a mensagem.

Julgamentos sempre vão existir, não tem como negar. Quem não lembra do famoso vídeo com o Joel Santana, que deu uma entrevista em inglês na época em que treinava a equipe de futebol da África do Sul? O que surgiu de especialistas para avaliar o inglês do técnico brasileiro não foi brincadeira, inclusive gente que nem sabia falar a língua! O inglês dele tinha muitos erros, muito sotaque e era difícil de entender? Sim. Mas pense na determinação do Joel Santana para, depois dos sessenta anos de idade, sair da zona de conforto e tentar aprender uma nova língua para treinar uma equipe fora do Brasil. Pense que, em vez de se esquivar da entrevista, ele tentou se virar como podia. E pense que, depois de o vídeo ter circulado em tudo que é canto como um exemplo de "inglês ruim", ele ainda virou garoto--propaganda de um xampu e de uma escola de inglês, faturando alto com toda essa situação. É ou não é um mito?

Portanto, preste bem atenção no que eu vou dizer: se você não tentar colocar em prática o que já sabe, você *não vai avançar*. Não há aprendizado sem erros, e ninguém começa a falar uma língua com perfeição. Se você sentir que seu inglês precisa melhorar, use sua energia para buscar o conhecimento e praticar mais e mais, até que se sinta confiante. Afinal, a vida é muito curta para nos preocuparmos demais com o que os outros vão pensar de nós, não é mesmo?

CINCO DICAS PARA (RE)COMEÇAR COM O PÉ DIREITO

Está se sentindo mais confiante agora? Espero que sim! E espero que fique mais animado ainda para começar a trabalhar no seu inglês com as cinco dicas a seguir!

1) Meça suas metas

Traçar metas audaciosas e prazos pouco realistas é, sem dúvida, um dos maiores erros de quem estuda inglês, pois, assim que os resultados começam a demorar para aparecer, a motivação e o foco também desaparecem. Portanto, inclua no seu plano de estudos objetivos e prazos que você realmente conseguirá cumprir. Assim que você conseguir cumprir uma meta, faça aquele *check* bem grande de caneta colorida por cima, de modo que você consiga visualizar, conforme o tempo, todas as metas que já conseguiu cumprir. Assim, você não só consegue manter um registro do seu desenvolvimento nos estudos, como também pode sentir a satisfação de atingir cada objetivo, o que certamente ajudará você a manter a motivação.

2) Inspire-se

Uma coisa que sempre me ajuda quando quero atingir algum objetivo é me inspirar nas histórias de pessoas que conseguiram chegar aonde quero chegar. Por isso, que tal perguntar para aquele seu amigo que manda superbem no inglês como ele conseguiu ficar fluente? Ou então digitar "como aprendi inglês" no YouTube e se inspirar nas dezenas de vídeos que vão aparecer como resultado? Aliás, eu mesma contei minha trajetória aprendendo inglês no primeiro vídeo que postei no meu canal, procure "Como turbinei meu inglês em pouco tempo" para conferir. Você não precisa seguir exatamente o que as pessoas fizeram para alcançar a fluência, mas ter bons exemplos pode servir de estímulo para você. E pense que, depois de um tempo, você é que poderá servir de inspiração para outras pessoas.

3) Não se compare

Lembra quando a sua mãe dizia que *você não é todo mundo*? Ela estava certa. Uma grande armadilha durante o aprendizado de um idioma é ficar comparando o próprio desenvolvimento com o dos outros, como se fosse uma competição. Esse tipo de comparação acaba fazendo com que você tenha medo de dar uma resposta errada em sala de aula ou acredite que esteja demorando demais para alcançar a fluência em comparação com outra pessoa.

Há inúmeras variáveis que podem influenciar o quão rápido e eficiente será o seu aprendizado, como idade, quantidade de exposição à língua, tempo para se dedicar, motivação e identificação com a cultura dos países que falam esse idioma. Portanto, apesar de ser muito legal se inspirar nas histórias de outras pessoas, não caia na armadilha de ficar se comparando o tempo inteiro. O importante é conseguir encontrar as estratégias que funcionam para *você* e focar no *seu* desenvolvimento.

4) Aprenda com os erros

Sentiu que pronunciou uma palavra de forma errada em uma conversa? Foi corrigido pelo professor? Seu interlocutor não entendeu o que você disse? Não se sinta diminuído ou envergonhado por isso. Como vimos, os nossos erros são evidência de que estamos raciocinando e de que o aprendizado está em andamento. Cada erro que cometemos e identificamos nos ajuda a compreender os pontos que precisam ser melhorados. Por isso, tire proveito deles!

O mesmo vale para erros metodológicos, ou seja, quando utilizamos estratégias de estudo que podem atrasar ou atrapalhar o aprendizado. Se tentar estudar de maneira autônoma e não vir evolução, programe-se para contratar um professor particular ou matricular-se em um curso. Se você começar a estudar em uma escola e não gostar da metodologia, faça uma pesquisa e procure outra que se encaixe melhor naquilo que você espera. Se não gostar de estudar com livros, experimente estudar com o auxílio de vídeos, e assim por diante. Cada pessoa aprende de um jeito, portanto, não fique frustrado se perceber que algo não está funcionando: tome as rédeas do seu aprendizado e encontre o *seu* jeito de aprender.

5) Não desista

A última dica é, na verdade, a mais importante: não desista e não pense que você não é capaz ou que nunca vai conseguir por motivo X ou Y. Sei que é difícil manter o foco quando a empolgação dos primeiros dias de estudo passa, mas não deixe isso fazer você desistir no meio do caminho. Lembre-se de que estudar um pouquinho por dia é muito mais eficiente do que passar horas e horas estudando em um único dia. Tente criar o hábito de estudar todos os dias e, aos poucos, o inglês passará a fazer parte de sua vida. Quando se sentir desanimado, observe quanto evoluiu através das metas que estabeleceu no início do aprendizado e siga em frente!

2) JÁ PASSEI DA IDADE

Quem nunca ouviu falar que as crianças aprendem línguas estrangeiras com mais facilidade que os adultos? Cada vez mais cedo os pais se preocupam em expor os pequenos a um segundo idioma porque acreditam que as chances de dominá-lo são muito maiores quando se inicia o aprendizado ainda na infância. Basta observar o número de escolas bilíngues que têm surgido nos últimos tempos. Só no meu bairro em São Paulo tem umas quatro! Por conta disso, os mais crescidinhos muitas vezes sentem que já estão "velhos demais" para aprender inglês ou que perderam o momento ideal para dominar um novo idioma. Quer tirar a prova? Pergunte para sua mãe, para seu pai, para sua avó ou tia o que eles acham da ideia de começar a aprender uma nova língua. Aposto que são grandes as chances de a resposta ser algo como: "Nessa altura do campeonato? Ixi, já passei da idade!".

Devo concordar que, na vida adulta, as preocupações são muito maiores do que na infância: pressão no trabalho, faculdade, filhos, contas, trânsito, metas... Tudo isso pode contribuir para que o sonho de dominar um novo idioma fique cada vez mais distante. Mas será que é possível? Será que é verdade que as crianças são melhores aprendizes de línguas que os adultos? Caso sejam, isso significaria que você, meu amigo acima dos trinta, já não tem mais chance? Bem, *let's go straight to the point*: sim, pesquisas mostram que as crianças têm mais facilidade para aprender línguas do que os adultos. Mas não, isso não significa que aprender um novo idioma na idade adulta seja uma missão impossível. Então, calma! Vou mostrar a você que não existe "velho demais" no mundo do aprendizado de línguas e que você pode, sim, aprender em qualquer fase da vida.

IDADE CONTA?

A idade é um fator que há muito tempo tem sido discutido em pesquisas sobre aprendizado de línguas estrangeiras. Evidências apontam para o fato de que, quanto mais tarde o aprendiz for exposto a um novo idioma, maior será a influência da língua materna e menores serão as chances de ele atingir uma competência semelhante à de um falante nativo.

Mas, engana-se quem pensa que a idade influencia apenas o aprendizado de uma língua estrangeira, pois ela tem um papel muito importante inclusive na aquisição da nossa *primeira* língua. Isso pôde ser demonstrado com a investigação de casos raros (e tristes) como o da menina Genie, uma americana que foi privada de qualquer contato linguístico até a adolescência. Quando a pobrezinha era bebê, seu pai decidiu isolá-la em um quarto da casa, sem rádio ou TV, onde permaneceu amarrada a uma espécie de peniquinho até os treze anos de idade. Durante esse período, a menina era punida por seu pai quando emitia qualquer som e não tinha nenhuma exposição à língua, já que ninguém se dirigia a ela. Quando (felizmente!) foi encontrada, no início dos anos 1970, Genie tinha a altura de uma criança de seis anos, estava desnutrida e não falava uma palavra sequer. Após passar por uma bateria de exames, os médicos constataram que a menina não tinha nenhum problema mental e, aos poucos, ela foi capaz de aprender a interagir com as pessoas como uma adolescente normal. A questão que todos se perguntavam na época era se, mesmo tendo sido privada de acesso à língua por tanto tempo, Genie ainda seria capaz de aprender a falar. Quando finalmente passou a ter contato com o inglês, seu vocabulário cresceu rapidamente e sua capacidade de compreensão progrediu muito, mas sua fala permaneceu um tanto excêntrica. Apesar de se mostrar bastante comunicativa, ela não conseguia utilizar corretamente as regras gramaticais e produzia frases equivalentes às de uma criança de dois ou três anos.

Casos como o de Genie parecem indicar que a infância seria o período ideal para a aquisição de línguas, sobretudo a língua materna. Mas será que existe uma idade-limite? Segundo alguns estudos, o período ideal para o aprendizado de idiomas seria antes da puberdade, pois é nessa época que a lateralização do cérebro se completa, reduzindo, assim, o substrato neural necessário para o aprendizado linguístico. De acordo com estudos mais recentes, não haveria uma idade-limite, e sim uma diminuição *gradual* da capacidade de adquirir línguas.

O que isso tudo significa? Meu caro amigo, isso significa que, independentemente da idade, o aprendizado de línguas é *possível*. Até onde eu sei, nunca foi encontrada uma pessoa que não tenha aprendido pelo menos o básico de um idioma porque já tinha ultrapassado algum limite de idade. Mesmo em casos extremos, como o de Genie, que foi privada de *qualquer* contato com a língua por tanto tempo e sofreu inúmeros traumas psicológicos, a aquisição foi possível, ainda que o resultado final não tenha sido uma gramática igual à de um falante nativo de inglês.

É importante termos em mente que o processo de aprendizagem de línguas é significativamente diferente para uma criança e para um adulto. Uma criança de cinco anos mal sabe tomar um sorvete sem se sujar, mas já é capaz de se comunicar naturalmente e dominar a pronúncia, a gramática e o vocabu-

38 ❯ *Sou péssimo em inglês*

lário básico da sua língua materna. Qualquer criança, nascida em qualquer lugar do mundo, aprenderá a(s) língua(s) a que for exposta aparentemente sem muito esforço e sem precisar que ninguém ensine *nada* a ela. Afinal, você já viu alguma criança brasileira precisar de aulas de português para aprender a falar suas primeiras frases?

Para uma criança, não tem língua mais fácil ou mais difícil: não importa se é português, inglês, japonês, francês, russo ou !Xóõ (sim, a língua !Xóõ existe e é falada em Botsuana e na Namíbia). Salvo em casos de patologia, nos primeiros anos de vida toda criança adquirirá sua língua materna em toda a sua complexidade numa rapidez impressionante. É sucesso garantido! E tem mais: as crianças manjam tanto de aprender idiomas que são capazes de adquirir mais de um ao mesmo tempo. Do mesmo modo que eu, por exemplo, aprendi o português quando era criança porque meu pai, minha mãe e todos à minha volta falavam a língua portuguesa, qualquer criança que seja suficientemente exposta desde cedo a duas, três ou sei lá quantas línguas conseguirá adquirir todas elas ao mesmo tempo — um minuto de silêncio pela inveja que eu estou sentindo dos bebês neste momento.

Mas não podemos dizer o mesmo do aprendizado de uma língua estrangeira depois de grande, não é mesmo? Diferentemente de quando éramos crianças e aprendemos português de forma natural, simplesmente porque todos à nossa volta falavam a língua, o aprendizado de um novo idioma é um processo mais consciente e que normalmente requer algum tipo de instrução. Aí você pode dizer: *Ah, mas eu tenho um amigo que aprendeu inglês sozinho, sem nenhum professor!* Sim, é possível aprender novos idiomas sem estar em uma sala de aula ou sem ter um professor particular. O que eu quero dizer com "instrução" é que, diferentemente das crianças, os adultos *pensam* sobre a língua que estão aprendendo: regras gramaticais, sons difíceis de produzir, vocabulário novo... Nada disso tem a ver com a facilidade com que a nossa versão *baby* aprendeu a língua portuguesa.

Carina Fragozo ‹ **39**

DÁ PARA APRENDER UM NOVO IDIOMA DEPOIS DE ADULTO?

Apesar de tudo o que foi dito até aqui sobre a genialidade dos bebês para adquirir línguas, como eu disse logo no início do capítulo, é claro que somos capazes de aprender novos idiomas e inclusive ter muito sucesso. Afinal, se não fosse possível aprender depois de determinada idade, os cursinhos de idiomas jamais permitiriam que alunos mais velhos se matriculassem nas aulas, não é mesmo? Eu mesma posso servir de exemplo, já que não era mais criança quando comecei a focar no aprendizado da língua, e hoje sou fluente.

Quando eu tinha uns onze anos, me tornei muito fã de uma banda americana chamada Hanson – se você estiver na casa dos trinta como eu, provavelmente já deve ter ouvido falar. Foi com essa banda que eu comecei a admirar ainda mais quem sabia falar inglês, mas ainda não fazia nenhum esforço para entender o que eles estavam falando. Eu era fluente em *enrolation* e nem sabia! E foi assim até o ano 2000, quando eles vieram ao Brasil e eu pude ir ao meu primeiro show internacional, com treze anos. Ali percebi quanto era importante ser capaz de entender o que eles estavam falando com a plateia, já que não tinha legenda e nem dublagem disponível. Lembro como se fosse ontem de ter me passado pela cabeça a ideia de que eles poderiam estar me mandando para aquele lugar e eu gritando "uhuu, lindos!", já que não entendia nada.

Nessa época, eu estava terminando o ensino fundamental e, como é o caso na maioria das escolas brasileiras, minhas aulas de inglês eram bastante focadas em gramática e decoreba de regras. Nunca fui mal na disciplina, tirava até 10! Mas meu conhecimento não ia muito além de saber colocar um *–s* no verbo se ele estivesse seguindo *he, she* ou *it*. Conforme fui ficando mais velha, meu interesse pela língua inglesa foi crescendo cada vez mais por influência da música. Adorava tentar acompanhar as letras das músicas nos CDs que eu comprava e detestava quando o encarte não as tinha.

Aos poucos, combinando as aulas gramaticais da escola com a minha vontade de entender as músicas de que eu gostava, fui aprendendo uma palavra aqui, uma expressão ali, e ficava superanimada quando conseguia entender algum diálogo simples em inglês. Me apaixonei tanto pelo idioma que, no fim do ensino médio, eu tinha certeza de que queria me tornar professora de inglês. E foi assim que ingressei na faculdade de Letras: com muita vontade de aprender, mas achando que seria moleza acompanhar as aulas. Tadinha de mim. Foi na faculdade que eu percebi que meu inglês era ainda muito fraco para conseguir ler artigos científicos, fazer apresentações em aula ou expressar minha opinião sobre determinados assuntos. Tive que fazer um esforço muito grande para conseguir me nivelar com meus colegas, pois muitos tinham feito cursinho de inglês por oito, nove anos, desde que eram bem pequenos.

O resultado dessa história? Mesmo tendo iniciado o aprendizado do idioma depois da puberdade e sem ter morado em um país falante de língua inglesa, eu consegui chegar à fluência e, o mais importante, me comunicar com pessoas de qualquer canto do mundo com naturalidade. Isso mostra que, mesmo que você não tenha começado a aprender antes da puberdade, período que as pesquisas consideram "ideal" para aprender línguas, com um pouco de esforço e motivação você pode (e vai!) alcançar resultados surpreendentes.

E aí você pode me perguntar: *Mas você fala igualzinho a um falante nativo de inglês?* A minha resposta é: modéstia à parte, eu falo muito bem, mas eu não falo o tempo inteiro de maneira idêntica a alguém que nasceu e viveu a vida inteira em um país falante de língua inglesa. Se eu me importo com isso? É claro que não! Para mim, o mais importante é ter uma pronúncia clara e ser capaz de ler, escrever, entender e me comunicar bem.

Apesar disso, eu sempre quis entender o porquê de, mesmo após tantos anos de estudo e dedicação, eu não ter conseguido perder 100% do meu sotaque estrangeiro. E hoje eu sei que,

Carina Fragozo ‹ **41**

entre outros fatores, a idade com que eu comecei a aprender a língua tem tudo a ver com isso.

Mas por que será que é tão difícil conseguir falar igualzinho a um falante nativo de inglês? Bem, lembra todo aquele papo sobre a genialidade dos bebês? Pois é, quando somos crianças, aprendemos tão bem a nossa língua materna que ela acaba interferindo na aquisição de outros idiomas. Pesquisas mostram que até os cinco meses de vida os bebês são capazes de distinguir praticamente todas as unidades fonéticas possíveis nas línguas do mundo (cerca de seiscentas consoantes e duzentas vogais), e, aos poucos, essa habilidade começa a dar lugar a uma capacidade de distinguir os sons específicos da língua materna, ou seja, os sons que a criança escuta na fala de seus pais e familiares.

É justamente por nos tornarmos tão bons em identificar somente os sons da nossa língua materna que, quando decidimos aprender um novo idioma, a percepção e a produção de novos sons se torna uma tarefa tão difícil. Por exemplo, para nós, brasileiros, é superdifícil perceber a diferença em pares como *bet* (apostar) e *bat* (morcego). Como o contraste entre a vogal /ɛ/ de *bet* e /æ/ de *bat* não existe no português, muitas vezes nem percebemos que há alguma diferença nesses sons, pois o nosso cérebro não está programado para identificar esse contraste. E, por não percebermos a diferença, acabamos produzindo as duas palavras com a vogal de *bet*, porque, diferentemente da vogal de *bat*, essa vogal existe no português (ex: *pé, café*), e isso contribui para que tenhamos um sotaque estrangeiro.

Por fim, além dos fatores biológicos mencionados neste capítulo, há também fatores psicológicos e sociais que diferem as crianças dos adultos no que diz respeito ao aprendizado de línguas. Além de as crianças terem menos preocupações, elas não estão nem aí se cometerem algum erro de gramática ou pronúncia. O adulto, por outro lado, se sente pressionado a não errar e morre de medo de se expor na língua estrangeira. Isso faz com que as oportunidades de praticar o idioma sejam menores e que o processo de aprendizagem seja afetado.

O ADULTO TEM ALGUMA VANTAGEM?

Os estudos que mencionei neste capítulo podem, à primeira vista, parecer um pouco desanimadores. Mas, se você leu atentamente o capítulo até aqui, entendeu que o aprendizado não é necessariamente complicado e muito menos impossível depois de certa idade. Ele é apenas diferente. A gente pode até não conseguir aprender por mera exposição como os bebês, mas garanto a você que nós, adultos, também temos muitos pontos a nosso favor.

Primeiramente, somos capazes de ter *foco* e *disciplina*. Por acaso você já teve que controlar uma sala de aula da quarta série? Eu já, e manter a criançada disciplinada não é uma tarefa das mais fáceis. Muitas crianças frequentam escolas bilíngues ou aulas de inglês porque *os pais querem,* e não por vontade própria. É a mesma coisa que ser obrigado a fazer natação sem gostar de piscina: a criança não entende por que tem que fazer aquilo e acaba ficando desmotivada ou dispersa. Os adultos, por outro lado, têm a capacidade de traçar metas e tomar decisões que ajudam a direcionar o aprendizado.

Outro ponto positivo para os adultos é que já *aprendemos a aprender.* Isso nos ajuda a ter a consciência de que, para que possamos aprender qualquer coisa nova, precisamos de muito treino e paciência. Quando eu aprendi a dirigir, por exemplo, precisei primeiro entender para que serviam os pedais, os espelhos e o câmbio. Então, aprendi a dar partida no carro, a ligar a seta antes de dobrar em uma rua, e treinei bastante para conseguir parar o carro em ladeiras e ser aprovada na (bendita!) prova de baliza. Nos meus primeiros meses como motorista, toda e qualquer ação que eu realizava enquanto dirigia era absolutamente pensada, tanto que eu nem podia ligar o rádio do carro, porque isso me atrapalhava na direção. Com o tempo, fui ficando cada vez mais treinada e confiante, até o ponto em que eu já conseguia conversar, escutar música e até passar batom enquanto o sinal não abria (*O que é errado, foi mal!*).

E é mais ou menos assim que se aprende qualquer coisa, inclusive um novo idioma. Nós, adultos, sabemos que é preciso treino e dedicação para nos tornarmos bons em uma nova atividade, e isso com certeza nos ajuda a ter foco e disciplina para alcançar nossos objetivos.

Por exemplo, você passa vinte, trinta, quarenta, cinquenta anos produzindo somente os sons da sua língua materna e aí se depara com os tais sons do "th", que não existem em português. Não vai ser de primeira que esses sons vão sair direitinho da sua boca. É preciso treinar e muitas vezes parar para perceber onde exatamente a sua língua deve estar posicionada para que o som saia da maneira correta. No começo, você vai se sentir superesquisito falando palavras como *think, path, this e breathe*, pois a língua fica numa posição que você jamais usaria para falar qualquer palavra em português. Mas, com o tempo, sua produção vai ficando cada vez mais automática e natural, até o ponto de você nem perceber que o som já foi totalmente incorporado à sua fala. Em outras palavras, uma hora você vai conseguir dirigir e escutar música ao mesmo tempo sem nem perceber que está trocando a marcha do carro ou ligando a seta para mudar de faixa.

CINCO DICAS PARA TORNAR O APRENDIZADO MAIS PRAZEROSO EM QUALQUER ETAPA DA VIDA

Uma das coisas boas de ser adulto é o fato de poder – na maioria das vezes – escolher aquilo que é melhor para si mesmo. Como adulto, você consegue estabelecer um significado para o que está aprendendo e tem a chance de buscar a melhor forma de tornar o processo mais prazeroso e significativo. Aprender inglês não precisa – e não deve! – ser um processo chato e maçante. Quer saber como aprender e praticar a língua de maneira divertida? Confira as cinco sugestões a seguir!

1) Aumente o som

Que tal aprender a cantar suas músicas favoritas em inglês? O simples ato de acompanhar as letras enquanto se escuta uma música ajuda a melhorar não só o *listening*, mas também a pronúncia, pois você acaba tentando imitar os sons que escuta. Para entender o significado da música, você pode procurar traduções prontas ou até tentar traduzir sozinho, caso ache isso interessante. Ah, detalhe importante: procure cantar *em voz alta* as músicas que você utilizar como material de estudo, pois desse modo você pratica a fala e se acostuma a articular os novos sons da língua.

2) Prepare a pipoca

Se você gosta de assistir a séries e filmes, que tal tirar proveito disso para estudar inglês? O bacana é que, quando você assiste a alguma cena, você conta com outras informações além do áudio que podem ajudar a entender o que está sendo dito, como os gestos feitos pelos personagens e o próprio cenário. E você deve estar se perguntando: *Devo assistir com ou sem legendas? E as legendas devem ser em português ou em inglês?* Bem, tudo vai depender do estágio de aprendizado em que você se encontra. Se você estiver bem no comecinho, não adianta colocar uma série com vocabulário megadifícil e já começar a assistir com áudio e legendas em inglês, pois você não vai entender nada. O melhor é inicialmente usar a legenda em português para ir se acostumando com a sonoridade de língua e, enquanto você assiste ao filme ou à série, tentar fazer relações entre o que você lê em português e o que você escuta em inglês. Outra opção é assistir a um episódio (curto, de preferência) de uma série com legendas em português e, depois, assistir a esse mesmo episódio com áudio e legenda em inglês. Desse modo, você consegue fazer a imersão na língua sem perder o conteúdo, uma vez que já vai conhecer o enredo. Quando você já tiver uma base no inglês, coloque o áudio e as legendas em inglês para realmente fazer uma imersão na língua enquanto assiste ao episódio ou ao filme.

Ao se deparar com palavras e expressões desconhecidas, você pode pausar o filme ou a série, trocar a legenda para o português para descobrir o significado e depois voltar para o inglês, ou então simplesmente não fazer nada e seguir em frente, caso tenha conseguido entender pelo contexto. E lembre-se: não é preciso entender *tudo*, palavra por palavra, para conseguir acompanhar o contexto da trama e praticar o seu inglês. Se quiser começar a praticar mas ainda não sabe a qual série assistir, procure o vídeo "Melhores séries para aprender inglês na Netflix" no meu canal, pois dou várias sugestões.

3) Deixe seu *like* e inscreva-se

Muito se fala no uso de músicas, filmes e seriados para aprender inglês, mas nem todos percebem que o YouTube também pode ser uma ferramenta poderosíssima para o aprendizado de uma língua estrangeira. Além dos canais específicos para o ensino de inglês, como o próprio *English in Brazil*, você pode utilizar o YouTube para ter contato com a língua inglesa por meio de vídeos sobre praticamente qualquer assunto. Por exemplo, se você gosta de culinária, por que não assistir a vídeos de receitas em inglês? O mesmo serve para quem gosta de vídeos sobre beleza, cultura, viagem, entretenimento, enfim... há vídeos para definitivamente todos os gostos! A vantagem de praticar inglês no YouTube é que você pode parar o vídeo quando quiser para tentar entender algo que foi dito e ter tempo de anotar palavras novas no seu caderno de vocabulário, sobre o qual falaremos mais adiante. Além disso, os vídeos são geralmente bem mais curtos do que filmes e episódios de séries, o que permite que você assista ao mesmo vídeo mais de uma vez para compreender o assunto sem que a tarefa fique entediante. Alguns canais oferecem a opção de legendas em inglês, mas é importante ter em mente que algumas legendas podem conter erros, já que muitas vezes foram geradas automaticamente pelo sistema do YouTube.

4) Mergulhe na leitura

A leitura também é uma excelente forma de manter o contato com a língua de uma forma leve e divertida. Para quem está no nível básico, uma boa opção é começar com quadrinhos, já que a quantidade de texto não é muito grande e você ainda tem os desenhos para ajudar a entender o contexto. Eu, por exemplo, gosto muito dos gibis da Turma da Mônica (*Monica's Gang*) na versão em inglês, pois além de as historinhas serem muito divertidas, cada gibi contém um glossário com a tradução das palavras mais complicadas na última página. Mas é claro que você pode escolher qualquer outro tipo de quadrinho.

Revistas também podem ser uma boa opção para quem deseja praticar a leitura, mas se assusta com o tamanho dos livros. De vez em quando eu compro revistas de moda e beleza em inglês só para observar as palavras e expressões que estão sendo usadas no momento, sabe? Então, que tal dar uma olhadinha na banca da sua cidade para ver se tem alguma revista importada interessante?

Em se tratando de leitura, é claro que não podemos deixar de falar dos livros, que são uma excelente fonte de entretenimento e conhecimento. Uma dica para facilitar a leitura é ler um livro cuja história você já conheça, como um conto de fadas ou a biografia de uma personalidade que você conhece bem. Outra opção é ler a versão em inglês de um livro que você já leu em português, pois assim você vai conseguir fazer relações com aquilo que já sabe da história. Se você gosta de literatura, mas ainda não se sente seguro para ler textos originais, sugiro procurar adaptações, isto é, livros que mantêm a história original, mas com uma linguagem simplificada. O legal é que muitos deles ainda vêm acompanhados do áudio, o que é interessante pelo fato de você já aprender a pronunciar as palavras novas que encontrar ao longo do texto. Se quiser mais dicas para começar a praticar a leitura em inglês, procure o vídeo "Dicas para ler em inglês" no meu canal.

E, por fim, caso deseje praticar a leitura, mas livros, quadrinhos e revistas não sejam a sua praia, que tal mergulhar de cabeça na imensidão de conteúdos em língua inglesa disponível na internet? Procure sites de notícias em inglês, blogs sobre os assuntos de que você gosta, enfim... comece a fazer buscas em inglês e divirta-se com o que aparecer! Se não entender o texto, já deixe o Google Tradutor ou um dicionário on-line aberto em outra aba para facilitar a sua vida.

5) Use a tecnologia a seu favor

Os aplicativos para *smartphone* são, sem dúvida, uma das melhores invenções tecnológicas dos últimos tempos. E você sabia que há uma infinidade de aplicativos desenvolvidos exclusivamente para o ensino de línguas? Alguns oferecem lições de inglês em uma sequência de conteúdos que podem servir como guia do seu aprendizado, alguns oferecem *quizzes* e *games* divertidos para você testar o seu conhecimento, outros ajudam na memorização de informações novas, além dos dicionários que apontam não só a tradução, mas também a pronúncia das palavras. Informe-se sobre aplicativos interessantes e aproveite essas ferramentas para praticar o inglês enquanto espera na fila do banco ou no intervalo do trabalho, ou simplesmente reserve um período do dia para praticar a língua utilizando esses *apps*. Garanto que você nem sentirá que está estudando, de tão interessantes que são as atividades oferecidas por eles.

3) NÃO SEI O QUE ESTUDAR

Você já sabe que estudar somente uma ou duas horas por semana não é suficiente para alavancar o seu inglês e que o maior responsável pelo seu progresso é você mesmo. Independentemente de estar matriculado em um curso de idiomas, de ter o acompanhamento de um professor particular ou de estar aprendendo inglês de forma totalmente autônoma, você está disposto a estudar todos os dias para dar aquele gás no seu aprendizado. Então, logo de cara, já tropeça no primeiro obstáculo: saber o que estudar. Será que vale a pena estudar gramática ou isso só vai atrapalhar? Como memorizar vocabulário novo? E como aprender a formar frases com as palavras que já sabemos? Vale a pena focar apenas no *listening* para aprender de forma natural? O que estudar, como estudar? Essas são perguntas que recebo praticamente todos os dias e que, aparentemente, são dúvidas compartilhadas por muitas pessoas.

O papel da gramática e do vocabulário no estudo de uma língua estrangeira e a possibilidade de aprender um segundo idioma de forma natural, somente por exposição/imersão, são questões que há muito tempo têm sido discutidas na pesquisa em aquisição de segunda língua. Há os que defendem que aprender *vocabulário* deveria ser o primeiro passo, pois sem ele não conseguimos formular sentenças nem entender o que está sendo dito. Há também os que acreditam que devemos focar no estudo da *gramática*, já que ela é a base de qualquer língua. Também há os que defendem a possibilidade de aprendermos uma língua estrangeira exatamente do mesmo modo que aprendemos nossa língua materna, sem a necessidade de estudar vocabulário, gramática ou ter qualquer tipo de instrução formal. E há os que defendem que se busque um equilíbrio entre todas essas ideias.

Já vimos nos capítulos anteriores que o processo de aquisição de língua materna é totalmente diferente do aprendizado de línguas estrangeiras por diversos motivos. Entretanto, o objetivo final em ambos os casos é o mesmo: adquirir um sistema que corresponde às informações linguísticas que escutamos à nossa volta, de modo que consigamos falar e compreender esse idioma. A grande questão é *como* essas informações linguísticas são internalizadas: de forma intuitiva e natural, como na aquisição de primeira língua, ou com o auxílio de algum tipo de instrução, como aulas, explicações e livros?

Como qualquer tipo de conhecimento, o conhecimento de uma língua pode ser implícito ou explícito. O conhecimento *implícito* é adquirido inconscientemente, somente com a exposição à língua. Pergunte a um falante nativo de inglês por que em frases como *Walking is good for your health* (*Caminhar faz bem para a saúde*) o verbo *walk* é usado com *-ing*. Muito provavelmente ele não saberá responder que, quando o verbo for usado como sujeito de uma frase, a regra é que esse verbo seja usado com o *-ing*. Nesse caso, o falante possui o conhecimento *implícito* da regra, pois sabe usá-la de forma natural e automática, mas não tem o conhecimento *explícito*, ou seja, não consegue falar sobre ela. O conhecimento *explícito* é, portanto, aquele que se aprende com algum tipo de instrução e que permite ao aprendiz analisar e manipular as informações da língua. Diferentemente do conhecimento implícito, o conhecimento explícito não implica necessariamente que o aprendiz seja capaz de aplicá-lo na sua fala.

Com base em pesquisas na área de aquisição de segunda língua e na minha experiência como professora, simpatizo com a visão de que ambos os tipos de conhecimento são necessários para aprender um novo idioma e que tudo que você se propuser a estudar trará algum tipo de contribuição para o aprendizado. Estudar inglês assistindo a filmes e séries funciona? Sim. Dedicar um tempinho para entender a diferença no uso de *do* e *does* ajuda? Sim. Anotar palavras novas para memorizar vocabulário é útil? Sim. Esquecer um pouco todas essas regras e simplesmente prestar atenção naquilo que se usa e não se usa na língua é válido? Sim, sim e sim! A grande questão é saber buscar um equilíbrio entre aprender implicitamente ou explicitamente. De nada adianta ser um *expert* em regras gramaticais e não conseguir estabelecer uma conversa básica em inglês, ou então memorizar centenas de palavras e não ser capaz de inseri-las em sentenças. Também não parece ser muito eficiente passar horas e horas escutando áudios em inglês sem entender palavra alguma na esperança de aprender a língua da mesma forma que aprendemos o português quando éramos bebês. Nas próximas seções, você verá que é possível usar o estudo da gramática e do vocabulário a seu favor ao mesmo tempo que se aprende inglês de forma natural e inconsciente, por meio de muita exposição ao idioma.

Gramática: vilã ou mocinha?

Talvez você não tenha percebido, mas, como falante nativo de português, você domina a gramática dessa língua como ninguém. Mesmo sem saber, ao formular uma sentença simples como *Não fui convidado* você mostra, por exemplo, que domina a formação da voz passiva no português e que conhece a forma do verbo *convidar* no particípio irregular, pois isso faz parte do conhecimen-

Carina Fragozo ‹ **51**

to linguístico que você adquiriu implicitamente quando criança. Qualquer língua é formada por um conjunto de regras[3] que constitui uma *gramática internalizada*, que todos os falantes nativos possuem. Sem gramática, não conseguiríamos unir palavras em sentenças e as nossas únicas ferramentas de comunicação seriam palavras soltas, sons individuais, gestos e imagens. Então, por mais que muita gente faça cara feia para a gramática no processo de aprendizagem de um novo idioma, é impossível aprendermos uma nova língua sem aprendermos uma nova gramática. A questão não é, portanto, se devemos ou não aprender a gramática do inglês, mas *como* devemos aprendê-la.

Um erro muito comum de quem estuda gramática é focar somente na forma e esquecer o uso. Um exemplo disso é a forma que "aprendi" (entre aspas, pois na realidade *não aprendi*) o verbo *to be* na escola: com foco total em regras gramaticais e sem uma quantidade suficiente de contexto para que esse conhecimento fosse internalizado. Lembro como se fosse ontem a minha professora escrevendo os pronomes pessoais no quadro, depois ensinando que com *I* usamos *am,* com *you, we* e *they* usamos *are* e com *he, she* e *it* usamos *is*. Após alguns exercícios, o próximo passo seria praticarmos as regras de formação de frases negativas e interrogativas. Aí era só colocar um *not* aqui, inverter a posição do verbo ali, e *voilà*: todos os alunos tinham uma tabela mais ou menos como esta no caderno:

---

[3] De acordo com a teoria inatista de Chomsky (1957), saber uma língua significa ter internalizada uma gramática gerativa composta por um conjunto finito de regras capazes de gerar um número infinito de estruturas. Não se deve confundir essa *gramática internalizada* com a *gramática normativa* (também chamada de *gramática prescritiva* ou *gramática tradicional*), aquela dos termos técnicos que encontramos nos livros e que prescreve o que deve e o que não deve ser usado. A gramática internalizada mencionada por Chomsky não trata do que é certo e errado, mas do que é *gramatical* (construções possíveis na língua) e *agramatical* (construções que não respeitam as regras do sistema linguístico internalizado pelos falantes dessa língua), como vimos no Capítulo 1.

PRONOMES PESSOAIS	TO BE NO PRESENTE	FORMA ABREVIADA	FORMA NEGATIVA	FORMA INTERROGATIVA
I	am	I'm	I'm not	Am I
You	are	You're	You aren't	Are you
He	is	He's	He isn't	Is he
She	is	She's	She isn't	Is she
It	is	It's	It isn't	Is it
We	are	We're	We aren't	Are we
You	are	You're	You aren't	Are you
They	are	They're	They aren't	Are they

Nunca tive dificuldade alguma em entender a lógica por trás do verbo *to be*, tanto que sempre tirava dez nas provas de inglês da escola. O problema é que, mesmo "aprendendo" essas regras ano após ano, eu não fui estimulada a tentar formular frases significativas e utilizá-las em contextos reais de comunicação. Eu sabia *sobre* a língua, mas não sabia *a língua*. E esse é o grande risco de quem se preocupa demais em estudar regras gramaticais e esquece que a língua é um instrumento para comunicação. De que adianta saber de cor e salteado os nomes de todos os tempos verbais e a tabela inteira dos verbos irregulares se não formos capazes de usar o idioma? Não teria sido bem mais interessante se, em vez de termos que decorar tabelas como essa na escola, tivéssemos sido encorajados a ler e construir frases com o verbo em contexto? Até porque o verbo *to be* está lá, marcando presença, em frases que são muito mais úteis do que qualquer tabela cheia de regras:

My name is Carina. What's your name?
I'm from Brazil, where are you from?
Is your mother working now?
She's my best friend.

Costumo dizer que, para aprender uma língua é preciso *viver* essa língua, no sentido de ter contato suficiente com ela para que se consiga aprender novas estruturas de maneira intuitiva, sem nem perceber. Isso não significa, contudo, que seja "proibido" estudar um ponto gramatical que você tenha dificuldade. Algumas estruturas podem ficar bem mais fáceis de aprender quando você descobre a lógica por trás delas, e vou dar um exemplo da minha experiência: sempre me confundia ao formular frases condicionais em inglês, também conhecidas como *if clauses*. Apesar de ter bastante contato com o idioma e de já ter uma ideia de como essas frases são usadas, eu não conseguia inferir as regras para formulá-las corretamente, pois uma hora elas apareciam com *will*, outra hora com *would,* outra hora sem nenhum verbo modal, e eu ficava maluca! Por isso, consultei materiais de gramática para descobrir se havia alguma lógica ou "fórmula" por trás dessas sentenças. Foi então que eu descobri que há, na verdade, *quatro* tipos de frases condicionais, cada uma usada para uma situação específica, como você pode observar no quadro a seguir:

FRASES CONDICIONAIS EM INGLÊS				
TIPO	USO	ORAÇÃO COM *IF*	ORAÇÃO PRINCIPAL	EXEMPLO
Zero	Uma verdade	Presente simples	Presente simples	If you heat the water, it boils.
1ª	Uma condição possível	Presente simples	Will + infinitivo	If I study, I will pass the test.
2ª	Uma condição hipotética no presente ou no futuro	Passado simples	would + infinitivo	If I were rich, I would buy that car.
3ª	Uma condição hipotética no passado	Passado perfeito	would + have + verbo no particípio	If I had studied more, I would have passed the test.

Foi a partir de quadros como este que percebi que é incorreto misturar *will* e *would* na mesma frase (ex: *If I would study, I will learn*), e que há um padrão fixo para construir cada frase condicional dependendo do que se quer expressar. Quando a oração com *if* estiver no presente, a oração principal pode estar ou no presente, no sentido de uma verdade absoluta (exemplo: *If you heat the water, it boils./Se você aquecer a água, ela ferve.*), ou no futuro, com *will*, o que significa uma condição possível (exemplo: *If I study, I will pass the test./Se eu estudar, passarei na prova.*). Já quando a oração com *if* estiver no passado simples, a oração principal deve ser usada com o verbo *would* e significa uma hipótese, ou uma situação irreal no presente ou no futuro (exemplo: *If I were rich, I would buy that car./Se eu fosse rico, compraria aquele carro.*). Por fim, frases que expressam condições hipotéticas no passado são as mais complexas, pois são construídas com o passado

Carina Fragozo ‹ **55**

perfeito (*had + verbo no particípio*) na oração com *if* e *would have* seguido do verbo no particípio na oração principal (exemplo: *If I had studied more, I would have passed the test./Se eu tivesse estudado mais, eu teria passado na prova*).

Mas qual a diferença entre consultar uma tabela com as *if clauses* e uma tabela com o verbo *to be*? Na verdade, nenhuma. A grande questão é saber como e quando fazer isso. Diferentemente de quando estudei o verbo *to be* na escola, usei a tabela das frases condicionais quando já tinha uma boa noção dos tempos verbais do inglês e sabia o contexto em que esse tipo de estrutura é usado. Eu não comecei o estudo pela forma, mas pelo *uso*. E então, com essas noções em mente e certa dose de prática, isto é, exercícios para completar lacunas e formular frases com essas estruturas, consegui aos poucos internalizá-las a ponto de nunca mais ter que pensar sobre elas em situações de comunicação. Neste caso específico, estudar gramática *acelerou* o meu aprendizado, já que eu poderia demorar muito mais tempo para inferir e internalizar essas regras se eu não tivesse identificado esse "ponto fraco" no meu inglês e buscado melhorá-lo.

Estudar a língua em contexto não significa que você deva fugir da gramática como o diabo foge da cruz. A diferença é que, em vez de estudar regras gramaticais de forma mecânica e decorar termos técnicos que não vão servir para muita coisa,[4] deve-se focar no que é e no que não é usado, nunca esquecendo que a língua é um instrumento de comunicação. Mas como isso funciona na prática?

Suponhamos que você tenha aprendido que *I don't know* significa *Eu não sei*. Então, você percebe, consultando seus materiais ou observando a forma como as pessoas falam, que é possível complementar a ideia de não saber algo mantendo essa estrutura no começo e adicionando mais alguma informação no fim, como nos exemplos a seguir:

---

[4] A menos que a sua intenção seja se tornar professor ou trabalhar como profissional na área da linguagem, é claro.

I DON'T KNOW	this.	Eu não sei isso.
	how to play the guitar.	Eu não sei tocar violão.
	how to cook.	Eu não sei cozinhar.
	if I'll travel.	Eu não sei se vou viajar.

Perceba que o domínio de uma simples estrutura permite que você aprenda, com o auxílio de um dicionário ou do próprio Google, a construir uma grande variedade de sentenças sem a mínima necessidade de ser exposto às regras de formação de frases negativas tendo *o do* como verbo auxiliar. A partir disso, você já pode começar a experimentar outras combinações trocando o verbo *know* por outros verbos e, assim, você vai percebendo os padrões e as estruturas da língua aos poucos, sem a necessidade de pirar decorando um monte de regras. Veja:

I DON'T	know	this.	Eu não sei isso.
	like	chocolate.	Eu não gosto de chocolate.
	work	on Saturdays.	Eu não trabalho aos sábados.
	want	to go now.	Eu não quero ir agora.
	have	a dog.	Eu não tenho um cachorro.

Estudar gramática pode, logo, tanto *atrasar* quanto *acelerar* o seu aprendizado, e isso dependerá da forma que você encarar esse processo.

Vocabulário: palavras apenas?

Assim como aprender a gramática de uma língua (no sentido de ter um conhecimento que permita a formação de sentenças), aprender *vocabulário* é fundamental para que se consiga falar e entender um novo idioma. Se considerarmos vocabulário como um conjunto de palavras isoladas, aposto que nenhuma pessoa lendo este capítulo partirá do *zero*, já que todo mundo conhece uma ou outra palavra em inglês. Mas saber vocabulário é muito mais do que saber palavras isoladas, conforme veremos a seguir.

Não podemos negar que, em algumas situações, o conhecimento de palavras isoladas pode até ser o suficiente para que você consiga atingir um objetivo. Imagine, por exemplo, que você esteja em um restaurante nos Estados Unidos e não saiba como formular uma pergunta para pedir água em inglês. Para não morrer de sede, você pode simplesmente levantar o braço para chamar o garçom e dizer: *Water!* Talvez ele faça alguma pergunta que você não entenda e a comunicação fique meio esquisita, mas, no fim das contas, provavelmente você receberá a sua água, ainda que não esteja exatamente do jeito que você gostaria (*Com ou sem gás? Com gelo ou sem gelo? Mineral ou da torneira?* etc.). Acontece que, na grande maioria das vezes, saber palavras isoladas não é o suficiente para que a comunicação seja realizada com sucesso. Mas como aprendemos a formar frases com as palavras que sabemos? E como é possível fazer isso de forma rápida e automática?

Como vimos, aprendemos a unir palavras em sentenças quando internalizamos as regras gramaticais do idioma que queremos aprender, o que pode ocorrer de maneira explícita (com aulas ou livros) ou implícita (por exposição à língua). E o mesmo acontece no aprendizado de vocabulário. Você lembra como aprendeu uma palavra como *dog*, por exemplo? Talvez tenha aprendido com a expressão *hot dog*, talvez em alguma propaganda de produtos para cachorro, talvez lendo uma lista de palavras ou talvez não faça a mínima ideia. Há diversas for-

58 › *Sou péssimo em inglês*

mas de aprender vocabulário, mas algumas são mais eficientes que outras.

Quando você pensa em "estudar vocabulário", qual a primeira imagem que vem à sua cabeça? Para muitas pessoas, a ideia de aprender vocabulário está relacionada à memorização de listas de palavras como estas:

SCHOOL	KITCHEN	HUMAN BODY	CLOTHES
blackboard	microwave	armpit	belt
eraser	oven	back	blouse
book	cooker	chest	boots
bookcase	dishes	ears	coat
chalk	fridge	eyes	dress
computer	cupboard	fingers	gloves
desk	pan	forehead	hat
dictionary	dishwasher	hands	jacket
marker	kettle	head	pants
notebook	fork	knees	scarf
pen	knife	legs	shirt
pencil	spoon	mouth	shoes
sharpener	spatula	neck	skirt
textbook	whisk	nose	socks
white board	frying pan	shoulder	sweater

Quanto maior a lista e mais palavras conseguirmos decorar, mais rápido será o aprendizado, certo? *Errado!* Quando você aprende palavras assim, de maneira isolada, as chances de esquecê-las são muito maiores, além de ser chato pra caramba ficar lendo listas e mais listas de palavras soltas. Essas listas também não mostram algo fundamental para que você seja capaz de formular frases em inglês: as *combinações* entre as palavras, conhecidas como *collocations*.

Collocations são grupos de duas ou mais palavras que "gostam" de ficar juntas. Em português, por exemplo, a palavra *remédio* combina com *tomar* (exemplo: *Preciso tomar um remédio.*), mas não combina com *beber* (exemplo: *Preciso beber um remédio*). Qual a regra para isso? Como eu sei que é *tomar* e não

Carina Fragozo ‹ **59**

beber? Neste e em muitos outros casos, simplesmente não há explicação, do mesmo modo que em inglês se fala *have breakfast* (*tomar café da manhã*) e não *drink breakfast* (*beber café da manhã*). Não vale a pena ficar questionando e procurando regras e mais regras para tentar explicar o porquê de certas palavras combinarem e outras não. É usado assim porque a língua assim determina, e não os seus falantes.

Mais importante do que saber centenas de palavras isoladas, é saber como elas se combinam. Por isso é tão necessário aprender vocabulário em contexto, de modo que, em vez de perder tempo estudando palavra por palavra, você aprenda logo frases e combinações que vão facilitar muito a sua vida.

Aprender pelo contexto: como assim?

Você percebeu que, na minha visão, estudar gramática e vocabulário pode ter um efeito bastante positivo no aprendizado de línguas estrangeiras, desde que isso seja feito da forma adequada. É preciso buscar um equilíbrio entre foco na forma e no conteúdo, de modo que se consiga aprender tanto por instrução quanto por exposição à língua.

Digo isso não só com base em estudos de Linguística Aplicada, mas também por experiência própria. Quando eu estava aprendendo inglês, passei por uma fase em que já sabia uma porção de palavras e regras gramaticais, mas ainda não conseguia me comunicar com a rapidez e a naturalidade que gostaria. Nas minhas primeiras aulas na faculdade de Letras, por exemplo, eu ficava muito angustiada quando tinha que responder alguma pergunta em voz alta e sempre tentava formular frases na cabeça antes de abrir a boca para falar. Naquele momento, percebi que, se realmente quisesse ser professora e acompanhar o ritmo dos meus colegas de aula, precisaria tomar alguma atitude para "destravar" de vez o meu inglês, e em pouco tempo. E eu consegui, justamente pela combinação entre o aprendizado de forma explícita e implícita.

60 ❯ *Sou péssimo em inglês*

Não teve milagre, apenas muita leitura, muito *listening*, algumas consultas ao dicionário e a livros, e muitas anotações.

Um dos grandes responsáveis para eu ter dado um salto no meu inglês foi, sem dúvida, a leitura. Desde o primeiro dia de aula, fui bombardeada com uma infinidade de artigos, contos e capítulos de livros em inglês. Como saber a língua era um pré-requisito para cursar a faculdade de Letras com habilitação em inglês na minha universidade, os professores não se importavam muito se você ainda não tinha conhecimento suficiente para conseguir ler todos aqueles textos. Eu não tinha escolha: era ler ou ler. É claro que eu ficava muito angustiada por ainda ter dificuldade para ler tudo aquilo em inglês, ainda mais com prazos apertados para discutir e entregar trabalhos sobre os textos. Mas hoje vejo o quanto isso foi maravilhoso para o meu desenvolvimento. Pela leitura, aprendi que não é necessário saber o significado de todas as palavras para que se entenda o sentido de um texto, pois é possível inferir esses significados pelo contexto. Também aprendi intuitivamente diversas palavras e *collocations* sem a menor necessidade de sentar para estudar vocabulário. Como eu sei que se fala *make a cake (fazer um bolo)* e não *do a cake*? Não sei, assim como não faço a menor ideia de como aprendi que *tomamos* e não *bebemos* um remédio. Ninguém me ensinou isso, simplesmente aprendi usando a língua em contexto, e a leitura[5] foi (e continua sendo) uma das grandes responsáveis por isso.

Além da leitura, ter muita exposição à língua por meio do *listening* foi um ponto crucial para acelerar o meu aprendizado. E não estou falando de simplesmente ligar um *podcast* em inglês no rádio do carro ou escutar uma música sem prestar atenção ao que está sendo dito esperando que isso seja o suficiente. Para que você consiga aprender novas palavras e expressões por meio do *listening,* é preciso que esta seja uma prática *ativa*, assim como a leitura. Cá entre nós, compreender áudios com uma grande quantidade de palavras que não conhecemos cansa, e cansa pra

---

5 Confira dicas para começar a praticar a leitura desde o nível básico no Capítulo 1.

Carina Fragozo ‹ **61**

caramba! Por isso, é importante começar aos poucos, respeitando o seu nível de inglês, conforme veremos no Capítulo 5.

A questão é que, quanto mais você ler e escutar materiais em inglês, mais exposto à língua você estará e maiores serão as chances de internalizar palavras e estruturas novas. Ao lermos um artigo ou escutarmos uma notícia, aprendemos muitas coisas mesmo sem perceber e, além disso, o aprendizado fica muito mais interessante do que decorar um monte de regras e listas de palavras descontextualizadas. Entretanto, mesmo quando você estiver estudando assim, de forma mais "livre", é possível dar um empurrãozinho no seu aprendizado para que você consiga lembrar e internalizar tantas informações novas. Sabe como? *Anotando.*

Sem brincadeira, eu sou o tipo de pessoa que, na hora do jantar, já não lembra mais o que comeu no almoço e, por isso, sempre tive como hábito anotar as informações que gostaria de lembrar. Não foi diferente no meu processo de aprendizagem da língua inglesa, mas na faculdade percebi que eu precisava ter um espaço específico para reunir todas as anotações referentes aos meus estudos da língua. Foi então que, encorajada por uma professora, separei um caderno que seria o meu *vocabulary notebook,* ou seja, o lugar onde eu anotaria todas as palavras, expressões e frases em inglês que eu gostaria de lembrar. A ideia de ter um caderno pode parecer simplória e talvez até um pouco antiquada, mas você não tem noção de quanto isso foi importante para o meu aprendizado.

Meu primeiro passo foi organizar o caderno em seções que faziam sentido para mim e que me ajudariam a consultar as minhas anotações posteriormente. Decidi separar uma parte para substantivos, uma para verbos, uma para expressões idiomáticas, uma para regras gramaticais e uma para frases úteis. Na prática, o uso do caderno funcionava mais ou menos assim: se eu me deparasse com uma palavra, expressão ou frase nova em um texto, em um áudio ou em aula e considerasse que essa informação seria útil para a minha comunicação em inglês, anotava na seção correspondente do meu caderno. Às vezes, simplesmente colocava a tradução ao lado da palavra, seguindo o formato de um dicionário bilíngue (inglês-português). Mas, quando eu tinha mais tempo, escrevia uma ou duas frases que deixassem claro o significado da palavra ou expressão sem a necessidade de usar a tradução, mais ou menos no estilo dos dicionários monolíngues (inglês-inglês).

Outro ponto importante era já anotar a palavra com alguma combinação possível. Por exemplo, se eu decidisse registrar uma palavra como *home*, já anotava ao lado combinações como *at home* (*em casa*) e *go home* (*ir para casa*), o que me ajudou a aprender a usar preposições e outras *collocations* de forma totalmente contextualizada. No caso dos verbos, incluir o contexto também era importante porque o significado varia muito de acordo com o que se quer dizer (ex: *go home – ir para casa; go crazy – ficar louco*).

Na seção de regras gramaticais, eu fazia anotações simples que me ajudariam a internalizar regras que eu inferia pelo contexto ou que aprendia nas aulas e nos livros. Caso eu quisesse lembrar, por exemplo, que não é gramaticalmente correto fazer duplas negações como *I don't like nothing,* eu anotava a frase errada e corrigia para *I don't like anything,* sem grandes explicações, somente os exemplos ou alguma outra anotação que me fizesse lembrar a regra.

De vez em quando, também anotava palavras novas no meu caderno por causa da minha curiosidade. Como eu estava motivadíssima a aprender o máximo que eu podia, procurava a tradução de palavras no dicionário toda vez que via alguma coisa que eu considerava importante e não sabia falar em inglês. Por exemplo, se eu estivesse no ônibus e passasse por uma banca de jornal, já ficava esperta: *Preciso aprender a falar "banca de jornal" em inglês.* Como eu não tinha celular com internet na época, assim que eu conseguia consultar o meu dicionário, já procurava a tradução para o inglês, lia *newsstand* em voz alta e, quando achava necessário, anotava a palavra no meu caderno, de preferência com a definição em inglês e com pelo menos um exemplo da palavra inserida em uma frase.

Carina Fragozo ‹ **63**

Tão importante quanto anotar era *revisar*. No fim de cada semana, eu relia todas as informações anotadas no caderno para relembrar e, conforme as semanas iam passando, eu já não precisava mais revisar desde o começo. Desse modo, o meu caderno se tornou o meu grande companheiro durante o aprendizado da língua inglesa e foi fundamental para acelerar e organizar o meu estudo.

Hoje eu sei que essa prática de anotar e revisar, algo que fiz de maneira totalmente intuitiva, tem um papel muito importante no processo de adquirir um novo idioma por uma razão muito simples: nosso cérebro é seletivo e detesta desperdiçar energia à toa. Quando ficamos muito tempo sem usar alguma coisa, ele considera isso irrelevante e acaba descartando. Por isso, quando revisamos algum conteúdo que já estudamos, é como se estivéssemos dizendo para o nosso cérebro: *Ei, eu quero lembrar essa informação!* Desse modo, você evita que aquilo que deseja lembrar seja descartado.

Uma forma de fazer isso é anotando, revisando e, o mais importante de tudo, *usando*. Ao aprender uma palavra ou expressão nova, faça o possível para usá-la na sua próxima conversa ou em algum texto escrito, e, então, repeti-la novamente em voz alta em algum momento do seu dia. Pode parecer besteira, mas pronunciar palavras novas em voz alta tem um poder muito grande para que o vocabulário seja internalizado. Mesmo que você não tenha com quem conversar, tente criar diálogos e frases com essas palavras, seja anotando no seu caderno, falando em voz alta ou simplesmente imaginando esse diálogo na sua cabeça. Desse modo, você estará dizendo para o seu cérebro que essas informações são importantes, e as chances de internalizar esse conhecimento serão muito maiores.

Antes de você sair correndo para procurar um caderno nas gavetas da sua escrivaninha, escute aqui o meu conselho: tenha muito cuidado para o seu caderno não passar de companheiro a inimigo. Não fique obcecado em anotar coisas como se não houvesse amanhã. Anote somente aquilo que você acha que vai es-

64 › *Sou péssimo em inglês*

quecer e que considera realmente importante. Ao ler um texto, por exemplo, preocupe-se primeiramente em entender o significado desse texto e curtir o momento da leitura, sem traduzir palavra por palavra e anotar absolutamente tudo que vir pela frente. Vá com calma e use as suas anotações a seu favor.

QUATRO DICAS PARA APRENDER MAIS EM MENOS TEMPO

Chegou a hora de pensarmos em algumas formas de pôr em prática o nosso conhecimento da teoria até aqui. Está pronto para acelerar o seu aprendizado e aprender mais em menos tempo? Então, vamos lá!

1) Forma e conteúdo andam juntos

Estudar gramática e vocabulário pode trazer muitos benefícios para o seu aprendizado, mas não esqueça de que forma e conteúdo devem andar sempre juntos. Cuidado para não cair na besteira de mergulhar de cabeça em regras gramaticais, decorar os nomes dos tempos verbais e ler listas e mais listas de palavras e acabar esquecendo de ver a língua como um instrumento de comunicação. Aprender inglês fica muito mais divertido quando você se dedica a usar a língua para realizar alguma tarefa como ler um texto, escutar uma música, falar com um colega ou até escrever um elogio no Instagram da sua cantora favorita, por exemplo. Então leia muito, escute muito e não hesite em consultar livros e materiais de ensino de inglês quando sentir a necessidade de esclarecer alguma dúvida, quando tiver curiosidade ou quando precisar de um guia para orientar os seus estudos. E lembre-se que o mais importante é aprender *a língua,* e não *instruções sobre a língua.*

2) O contexto é nosso amigo

Qual o significado do verbo *go*? Depende do contexto. O que significa a palavra *sick*? Depende do contexto. E a frase *tell me about it*? Nem preciso dizer que também depende do contexto. As palavras e frases não ocorrem soltas, mas sempre dentro de um contexto que pode trazer informações muito preciosas, como o significado e a função de palavras que você não conhece. Observe a frase a seguir:

John blonked his kirt and smiled.

Você sabe o significado das palavras *blonked* e *kirt*? Não venha me dizer que sabe, pois eu acabei de inventá-las (*Ahá, pegadinha da Carina!*). Mas perceba que, pelo contexto, você consegue inferir que *blonked* seria um verbo no passado e *kirt,* um substantivo que indica algo que pertence ao John. Se essas palavras fossem reais, talvez com um pouco mais de informação sobre a situação descrita na frase você acabaria descobrindo o que elas significam sem nem precisar abrir um dicionário. É muito importante aprender como as palavras se combinam e se organizam nas frases porque, desse modo, você terá mais facilidade para ler e se comunicar, já que não ficará traduzindo palavra por palavra para entender o que o seu interlocutor está dizendo, conseguirá captar a mensagem mais rapidamente, se lembrará das palavras em conjunto e não perderá tempo tentando juntar peças soltas para formar frases.

3) É assim porque é assim

Por que se diz *have a drink* e não *drink a drink*? Por que se diz *I am 50 years old* e não *I have 50 years*? Por que se diz *on Sundays* e não *in Sundays*? Por quê? Por quê? Por quê? Meu amigo, nem tudo tem um porquê e, mesmo que tivesse, você não precisaria entender todos eles. Mais importante do que saber explicar por que se usa *on Sundays* e *on a train* em vez de *in Sundays* e *in a train* é saber que é assim que se usa, e ponto final. Um dos maiores erros de quem estuda inglês é querer compará-lo com o português o tempo inteiro e ficar preso à ideia de que tudo deva ter uma explicação. Na maioria das vezes, o mais importante para o seu aprendizado é simplesmente aceitar que as coisas são do jeito que são e *move on,* seguir em frente.

4) Anotar e revisar para lembrar

Eu já falei bastante sobre o quanto o meu caderno de vocabulário foi importante para que eu conseguisse memorizar palavras novas. Se você for *old school* como eu e achar que vale a pena ter um caderno ou bloquinho para fazer o mesmo, sinta-se livre para montar esse material da forma que considerar mais interessante. Você pode achar, por exemplo, que vale a pena dividir o seu caderno em várias seções e enchê-lo de marcadores para facilitar a consulta. Ou então você pode achar melhor ter poucas e até nenhuma divisão, por preferir organizar as suas anotações por ordem cronológica. Talvez você perceba que usar canetas coloridas ajude a memorizar os significados das palavras, e talvez considere importante incluir desenhos e gráficos que ajudem a fazer conexões entre as palavras que você aprende. Talvez ache a ideia de ter um caderno ridícula e prefira anotar as informações novas no bloco de notas do seu celular. E talvez prefira fazer tudo isso em um aplicativo que lembre você de revisar o conteúdo que anotou. Pouco importa a forma que você escolher, o fato é que a velha prática de anotar informações novas faz com que você consiga organizar tudo aquilo que acha importante aprender e também serve como um "aviso" para o seu cérebro de que você não quer esquecer essas informações. A prática de revisar tudo aquilo que adicionou ao seu "dicionário particular" a cada semana também serve como um lembrete para o seu cérebro de que aquelas eram informações importantes que você deseja lembrar. Aos poucos, você não precisará mais revisar o caderno desde o início, porque tudo já estará bem acomodado na sua cabeça. Se quiser mais dicas para memorização de vocabulário, procure o vídeo "Como memorizar palavras novas em inglês: 5 dicas" no meu canal.

4) TENHO MUITO SOTAQUE

Chegou a hora de falarmos sobre *sotaque*, aquele modo particular como cada pessoa produz os sons de determinada língua. O sotaque pode ser caracterizado pela entonação, pelo ritmo de fala e pelo modo de pronunciar os sons da língua e, por meio dele, é possível identificar características como a região, a idade e a condição social do falante. Eu, por exemplo, nasci e vivi no Rio Grande do Sul até os 25 anos e, desde então, vivo em São Paulo. Segundo a minha família, eu já estou com um sotaque "bem paulistinha", pois de vez em quando falo "você" em vez de "tu" ou me escapa um ditongo nasal em palavras como *entendendo* e *mensagem,* que acabam saindo como *enteindeindo* e *meinsagem*. Mas ainda que meus pais identifiquem alguns traços do sotaque paulistano na minha fala, basta eu abrir a boca aqui em São Paulo para que me façam a pergunta clássica: *Você é do Sul, né?* Ou seja, há algo no meu modo de falar que facilmente revela a região de onde eu vim.

Além dos sotaques regionais, há também o famoso *sotaque estrangeiro*, aquele que se manifesta quando falamos um segundo idioma e que normalmente oferece pistas sobre a nossa língua materna. Por exemplo, não será difícil reconhecer um falante nativo de francês se comunicando em inglês se ele deixar escapar o "r" realizado "na garganta",[6] típico de sua língua materna, em palavras como *arrive* ou *front*. O mesmo ocorre no caso de um falante nativo de língua espanhola falando português: por mais proficiente que seja, basta ele pronunciar o "s" de palavras como *casa* e *liso* como [s] em vez de [z] para percebermos a influência de sua língua materna. Quem nunca percebeu o modo que a *chef* argentina Paola Carosella se refere aos pratos no *Masterchef Brasil*? *Deliciosso, maravilhosso!* Isso ocorre porque, diferentemente do português, o contraste entre [s] e [z] não ocorre em espanhol. Assim, a produção desse contraste, que dominamos tão bem, acaba sendo um desafio para falantes nativos de espanhol aprendendo o português como língua estrangeira.

E não é diferente no caso de um brasileiro se comunicando em qualquer língua estrangeira. No caso do inglês, é comum substituirmos o que chamamos de "sons do 'th'" em palavras como *think* e *that* (representados pelos símbolos fonéticos [θ] e [ð], respectivamente), que não existem no português, por [f] e [d], pois são as alternativas mais próximas para esses sons "estranhos" para a gente. Também é difícil para nós, brasileiros, percebermos e produzirmos as diferentes vogais em pares como *men/man, ship/sheep* ou *look/Luke*, pois esses contrastes não existem na nossa língua materna e soam muito parecidos para nós, ou seja, é como se fossem os mesmos sons. A transferência do português para o inglês pode inclusive ir além do que diz respeito a vogais e consoantes. Um exemplo disso é a diferença no *ritmo* dessas duas línguas. Enquanto o inglês é considerado uma língua de *ritmo acentual*, pois apresenta intervalos regulares entre os acentos[7] independentemente do número de sílabas entre eles, o português é, de modo geral, caracterizado como uma língua de *ritmo silábico*, pois os intervalos entre acentos

---

6 Tecnicamente, chamamos o som deste "r" de *vibrante uvular*, pois é produzido pela vibração da úvula (conhecida como "campainha").

7 Entenda "acento" como *sílaba tônica,* e não como o acento gráfico.

Carina Fragozo ‹ **69**

aumentam de acordo com o número de sílabas entre eles. São diferenças como essas que contribuem para que sejamos identificados como falantes não nativos da língua inglesa.

Portanto, todo mundo tem algum tipo de sotaque, seja na língua materna ou em uma língua estrangeira. A diferença é que a atitude perante esses dois tipos de sotaque nem sempre é a mesma. Não sei se vocês vão concordar comigo, mas parece que a maioria dos brasileiros tem orgulho em dizer que fala com um sotaque carioca, baiano, ou mineiro, por exemplo, mas morre de vergonha de ter um sotaque estrangeiro, sobretudo quando fala inglês. Lembro de diversas situações em que amigos brasileiros evitaram falar inglês comigo de todas as formas porque eu iria "rir do sotaque deles", ou porque eles teriam um "sotaque feio". E esse medo ou essa vergonha que muitas pessoas têm do sotaque estrangeiro faz com que se estipule como meta de aprendizado o tal de "falar como um nativo", ou seja, ter um sotaque igualzinho ao de alguém que nasceu e cresceu em um país falante de língua inglesa. Mas será que é possível eliminar 100% do sotaque estrangeiro na produção de um segundo idioma? Será que é necessário atingir esse nível para ser aceito e se comunicar bem? Por que devo melhorar a minha pronúncia? Existe algum exercício para praticar? É o que veremos nas próximas seções.

SOTAQUE E PRONÚNCIA: TEM DIFERENÇA?

Antes de discutirmos as implicações de se ter um sotaque estrangeiro e se é possível eliminá-lo totalmente, é importante entendermos a diferença entre *pronúncia* e *sotaque*. *Pronúncia* é a maneira como articulamos os sons individuais ou as combinações de sons em uma língua, enquanto o *sotaque* é o resultado do modo como *pronunciamos* esses sons.

Há uma grande diferença entre ter um sotaque estrangeiro e uma pronúncia ruim. Se você tiver um sotaque estrangeiro, é pos-

70 › *Sou péssimo em inglês*

sível que façam a você perguntas como *De onde você é?*, ou *Você é brasileiro(a)?*. Já no caso de uma pronúncia ruim, as perguntas que você receberá provavelmente estarão mais para *Desculpe, pode repetir?*, ou *O que você disse?*. Sendo assim, as pessoas provavelmente conseguirão entender você mesmo que tenha um sotaque estrangeiro, mas, se você cometer muitos *erros de pronúncia*, a comunicação pode, sim, ser afetada.

Os motivos que nos levam a cometer erros de pronúncia. E não podemos negar que a nossa língua materna tem um papel crucial no processo de aprendizagem. O fato é que adquirimos a nossa língua materna com tamanha perfeição que é impossível não transferirmos esse conhecimento quando estamos aprendendo uma segunda língua, sobretudo nos níveis iniciais do aprendizado.

A transferência do português explica muitos dos "erros" que cometemos durante o aprendizado do inglês. Não é à toa, por exemplo, que produzimos o "t" em palavras como *teacher* da mesma forma que pronunciamos o "tch" em palavras como *tchau* e *tchê* quando estamos aprendendo inglês. Sabe por que gostamos tanto de falar *tchícher*? Por pura influência da nossa língua materna! No português, há um fenômeno fonológico que faz com que o som de "t" quando está seguido de um som de "i" seja produzido com o mesmo som de *tchau*. Basta observar a forma como a maioria dos brasileiros pronuncia o "t" em palavras como *atirar, time* e *bati*: exceto em algumas regiões do país, o "t" nessas palavras será produzido como "tch" porque precede um som de "i". E, independentemente de pronunciarmos uma palavra como *tia* com som de "t" ou de "tch", o significado da palavra continuará sendo a irmã da minha mãe, apenas com um sotaque diferente.[8] É justamente por esse fenômeno do português[9] que palavras como *teacher* e *party* muitas vezes são produzidas como *"tchítcher"* e *"part-*

---

[8] As variantes fonéticas de um fonema são chamadas de *alofones*. Neste caso, o som de "tch", representado foneticamente pelo símbolo [ʧ], seria um alofone, ou seja, uma variação de pronúncia, do fonema /t/.

[9] Na fonologia, chamamos este fenômeno de *palatalização do /t/*.

chy" por falantes brasileiros, já que a tendência do aprendiz é transferir seu conhecimento linguístico da língua materna para a língua estrangeira, principalmente no nível básico.

Mas será que é um problema produzirmos o "t" como "tch" em palavras como *teacher, party* e *team,* ou as pessoas vão entender de qualquer jeito? Bem, isso vai depender do contexto. Mas acredite: a simples troca desses sons pode, sim, causar problemas na comunicação. E eu até consigo imaginar você aí pensando: *Ai, mas é só um sonzinho! Esses gringos têm é preguiça de tentar entender a gente!* Mas aí é que está a questão: neste caso, não estamos falando de "apenas um sonzinho". Diferentemente do português, o som do "tch" é um *fonema* no inglês, portanto, representado entre barras pelo símbolo /ʧ/.[10] E fonemas não são qualquer tipo de som que a gente produz, não! Eles têm o incrível poder de *modificar o significado das palavras.* Observe os pares a seguir:

/t/	/ʧ/
cat /kæt/ (gato)	catch /kætʃ/ (pegar, apanhar)
pat /pæt/ (acariciar)	patch /pætʃ/ (remendar)
tin /tɪn/ (lata)	chin /tʃɪn/ (queixo)
two /tuː/ (dois)	chew /tʃuː/ (mastigar)
eat /iːt/ (comer)	each /iːtʃ/ (cada)

Perceba que *cat/catch, pat/patch, tin/chin, two/chew* e *eat/each* são palavras completamente diferentes, e o único responsável pela mudança de significado é o contraste entre os fonemas /t/ e /ʧ/. Está vendo como no inglês produzir "t" ou "tch" faz toda a diferença?

---

10 Os *fones*, que são a realização física do fonema, são representados entre colchetes (exemplo: [t], [s]).

Além de sons individuais, também é possível transferirmos o *padrão silábico* da nossa língua materna para a língua estrangeira. Observe a forma que falamos *hot dog* de maneira "abrasileirada", por exemplo. Como sílabas terminadas em /t/ e /g/ são "estranhas" para falantes do português brasileiro, resolvemos o problema inserindo um "i" após essas consoantes ao pronunciarmos cada uma dessas palavras, criando uma nova sílaba: *ho-tchi do-gui*. Isso ocorre porque a fonologia do português não permite que as consoantes /t/ e /g/ ocorram em fim de sílaba. As únicas consoantes permitidas nessa posição são /R/, como em *amar,* /S/, como em *ônibus*, /l/, como em *animal* e a nasal /N/, que se realiza por meio da nasalização da vogal precedente, como em *também*.[11] Perceba que, mesmo no caso de palavras como *compacto, afta* e *advogado,* que fazem parte da língua portuguesa, é comum inserirmos essa vogal "extra"[12] na pronúncia para desfazer sílabas terminadas em consoantes "indesejáveis". A inserção de uma simples vogalzinha desfaz toda uma estrutura silábica estranha para falantes de língua portuguesa e resulta em um tipo de sílaba que é permitido. E olha só que bonito: nós fazemos isso de maneira totalmente *inconsciente*,

---

11 Talvez você esteja se perguntando o porquê de as consoantes /R/, /S/ e /N/ estarem representadas em caixa-alta, diferentemente de outros fonemas vistos até aqui. Para facilitar a compreensão, vejamos o exemplo do /S/: no português, há o contraste entre os fonemas /s, z, ʃ, ʒ/ em palavras como *seca, Zeca, checa* e *jeca* em início de sílaba. Em final de sílaba, entretanto, esse contraste deixa de existir. Perceba que o "s" da palavra *animais* produzido como [s] (animai[s]), como [z] (animai[z]domésticos), como [ʃ] (animai[ʃ]) ou como [ʒ] (animai[ʒ] domésticos) não causa mudança de significado. A palavra "animais" continua sendo "animais" independentemente de como o "s" é pronunciado. Observa-se, portanto, que em posição final de sílaba no português os fonemas /s, z, ʃ, ʒ/ perdem a capacidade de distinguir significado, o que chamamos de neutralização. Para representar a perda do contraste fonêmico entre os segmentos [s, z, ʃ, ʒ] em posição final, utilizamos o símbolo /S/, que representa um *arquifonema*, e o mesmo ocorre no caso de /R/ e /N/. Para mais esclarecimentos, consulte Cristófaro-Silva (2010) e Collischonn (2005), que apresentam descrições detalhadas sobre a estrutura silábica do português.
12 Chamamos essa vogal de *vogal epentética.*

simplesmente porque conhecemos muito bem o que pode e o que não pode ocorrer na nossa língua materna. Não é lindo?

Mas, como você já pode estar imaginando, nem tudo são flores. Durante a sua comunicação em inglês, é possível que esse tipo de reestruturação silábica faça com que o seu interlocutor não compreenda o que você está querendo dizer. Além disso, a inserção dessa vogal no fim da sílaba pode acabar soando como *outra palavra*. Observe os exemplos:

UMA SÍLABA	DUAS SÍLABAS
dog /ˈdɒg/ (cachorro)	doggy /ˈdɒ.gɪ/ (cachorrinho)
and /ˈænd/ (e)	Andy /ˈæn.dɪ/ (apelido para *Andrew*)
bag /ˈbæg/ (bolsa)	baggy /ˈbæ.gɪ/ (folgado, largo)
have /ˈhæv/ (ter)	heavy /ˈhɛ.vɪ/ (pesado)

Veja que, exceto no par *have/heavy*, em que também há uma diferença na vogal tônica, os exemplos mostram que a simples inserção do "i" no fim da palavra e, consequentemente, a criação de uma nova sílaba, acaba resultando em outra palavra com significado totalmente diferente.

A inserção dessa vogal também pode alterar a posição do acento da palavra. Veja o caso da palavra *breakfast*, por exemplo, que significa *café da manhã*. Agora vocês já sabem que o português brasileiro não permite nem /k/ e nem a sequência /st/ em posição final de sílaba. Então, o aprendiz tende a desfazer essa estrutura inexistente na língua materna inserindo a vogal "i" nas sílabas estranhas a fim de chegar a uma estrutura do português, e a palavra, que originalmente tem duas sílabas, acaba se tornando uma palavra com *quatro* sílabas. Observe:

break.fast –> brea.<u>ki</u>.fas.<u>ti</u>

A partir dessa reestruturação, a sílaba tônica da palavra, que no inglês é *break-*, acaba mudando para a nova sílaba *-fas-*, seguindo uma tendência de palavras paroxítonas no português. Veja:

<u>break</u>.fast –> brea.ki.<u>fas</u>.ti

Assim, a partir de uma adaptação que fazemos intuitivamente, mudamos não só o padrão silábico, como também o acento da palavra. O que eu quero dizer com tudo isso é que, enquanto para nós, falantes de português, é fácil entender que *brea.ki.fas.ti* é *breakfast*, para falantes de outros idiomas essa mudança na pronúncia da palavra pode ser tão grande a ponto de atrapalhar a compreensão do que está sendo dito. Portanto, é importante, *sim*, darmos atenção à pronúncia das palavras na língua estrangeira. Afinal, queremos que todos entendam o que estamos dizendo, não é mesmo?

É POSSÍVEL FALAR COMO UM NATIVO?

Sendo professora de inglês há tantos anos, você não tem noção da quantidade de vezes que já me fizeram perguntas do tipo: *Será que eu vou conseguir falar igualzinho a um nativo?* ou *Teacher, os americanos percebem que você é brasileira?*. A preocupação em "falar como um nativo" sempre foi algo muito presente entre os aprendizes de idiomas. Como vimos no Capítulo 2, há muitas diferenças entre aprender nossa língua materna e uma língua estrangeira. Enquanto todos nós adquirimos nossa primeira língua com maestria em tão pouco tempo e ainda na infância, quando aprendemos um segundo idioma já iniciamos nosso aprendizado trazendo na bagagem um conhecimento linguístico muito bem estruturado. A questão é que esse conhecimento linguístico é distinto daquele que iremos aprender. E aí está o grande desafio.

Mas será que, mesmo com tantas diferenças, é possível adquirir a competência de um falante nativo? Ao longo dos anos, diver-

Carina Fragozo ‹ **75**

sas pesquisas têm buscado responder essa pergunta, e a conclusão a que se chega é geralmente a mesma: a *maioria* dos aprendizes de línguas estrangeiras não consegue atingir a mesma competência de um falante nativo, isto é, falar o segundo idioma com exatamente a mesma habilidade que falam o primeiro. Algumas pesquisas chegam a dizer que "falar como um nativo" é uma meta impossível de ser alcançada, afinal, como eu posso me tornar um falante nativo de uma língua que não é a minha? Seria uma impossibilidade lógica. A ideia é que mesmo que a gente consiga falar com certa proficiência a ponto de nativos não saberem que não somos nativos, o nosso conhecimento abstrato da língua, ou seja, a nossa intuição de como essa língua funciona, dificilmente será como a de um falante nativo.

Curiosa que sou, também me propus a investigar essa coisa de falar 100% como um nativo na minha tese de doutorado. E um dos fenômenos que decidi analisar é algo que passa despercebido pela maioria dos aprendizes de inglês: o vozeamento do morfema[13] -s. Talvez você ainda não tenha se dado conta disso mas, no inglês, o morfema de plural, do caso genitivo[14] e da terceira pessoa do presente simples pode ser produzido com som de [s] ou de [z], dependendo do som que precede esse morfema. Observe o quadro abaixo:

PRONÚNCIA DO -S	TIPO DE MORFEMA		
	PLURAL	CASO GENITIVO	PRESENTE SIMPLES
[s]	cats	Jack's	wants
[z]	dogs	Susan's	runs

---

13 O morfema é a menor unidade dotada de significado em uma palavra. Na palavra *balas*, por exemplo, o morfema -s tem o significado de plural.

14 O caso genitivo geralmente indica uma relação de posse entre o substantivo no caso genitivo e outro substantivo. No inglês, é representado por um apóstrofo seguido da letra "s". Ex: *Jack's car* (carro do Jack).

Os exemplos mostram que esse "s" do inglês é produzido como [s] quando precedido de sons não vozeados, isto é, sons em que não há vibração das cordas vocais (exemplo: [f, p, t, k]), e como [z] quando precedidos de sons vozeados, ou seja, sons em que há vibração das cordas vocais (exemplo: [v, n, o, b, d, g]).[15] No caso de *cats*, por exemplo, o "s" de plural é produzido como [s] porque o que vem antes é um "t", que é um som não vozeado. Já no caso de *dogs*, o "s" é pronunciado como [z], já que o que vem antes é o som vozeado [g]. No caso genitivo, o "s" em *Jack's* é produzido como [s] porque o som precedente não é vozeado ([k]), mas em *Susan's* é pronunciado como [z] porque o som anterior é vozeado ([n]). E é a mesma coisa no "s" de terceira pessoa do presente simples: enquanto o "s" de *wants* é produzido como [s], o de *shoes* é produzido como [z], em virtude do vozeamento do contexto precedente.[16]

Enfim, é aquele detalhezinho de pronúncia que a maioria das pessoas nem percebe.[17] Você, por acaso, já tinha percebido que o "s" de *dogs* é geralmente pronunciado como um [z] por falantes nativos? Eu confesso que só descobri quando li sobre isso, porque meus ouvidos brasileiros não estavam programados para perceber esse detalhe, não.

Bem, então eu gravei a fala de trinta brasileiros falantes de inglês como língua estrangeira, separados por nível de proficiência: dez no básico, dez no intermediário e dez no avançado. Analisei essas frases em um programa de análise acústica para

---

15 Para descobrir se um som é vozeado ou não, coloque a mão no pescoço, próxima à garganta, e perceba se há vibração quando você produzir esse som. Comece testando com o [s] e o [z]: diga *sssss* e perceba que não há vibração nenhuma nas suas cordas vocais, o que indica que o [s] é um som não vozeado. Agora diga *zzzzz* e perceba a vibração no seu pescoço. Isso significa que o [z] é um som vozeado.

16 Há ainda os casos em que o morfema *-s* é produzido como [iz], quando precedido por uma consoante sibilante (exemplo: *buses, George's, catches*). Esses casos não foram analisados na minha pesquisa.

17 Chamamos esse fenômeno de *assimilação de vozeamento progressiva*, quando a sonoridade passa de um segmento para outro que o *sucede*.

Carina Fragozo ‹ **77**

verificar de forma detalhada se os falantes estavam produzindo um [s] ou um [z] nas palavras, fiz a estatística e, para resumir a história, de 1.023 palavras inseridas em frases em que o "s" seria produzido como [s] no português, mas deveria ser produzido como [z] no inglês, sabe quantas vezes os brasileiros produziram um [z]? *Doze!!! Doze de 1.023!* Ou seja, nem mesmo os falantes de nível avançado adquiriram esse vozeamento do inglês nos contextos em que o "s" não é vozeado no português.[18]

E sabe por que eu decidi compartilhar o resultado de uma regra tão específica aqui com vocês? Para mostrar que, mesmo nos casos de falantes não nativos que não aparentam demonstrar qualquer tipo de sotaque estrangeiro, sempre há um detalhezinho que pode "entregar" o fato de ele não ser um falante nativo. E muitas vezes isso não é percebido nem por nós, brasileiros, e nem pelos falantes nativos... mas se gravarmos suas produções, fizermos uma análise acústica utilizando programas computacionais e compararmos com as produções de falantes nativos, *tcharan:* encontraremos alguma diferença.

Portanto, se o seu objetivo é falar de maneira idêntica à de um falante nativo de inglês, sem jamais deixar escapar *nenhum* traço da sua língua materna e com a mesma intuição linguística de um falante que começou a adquirir a língua ainda no útero da mãe, é bem possível que você acabe se frustrando. É claro que existem casos de falantes com praticamente a mesma habilidade na língua materna e na língua estrangeira, mas são raros e geralmente requerem muito tempo de imersão na comunidade falante dessa língua. Mas olha, por mais *bad vibes* que este parágrafo possa estar soando para você, pode ter certeza de que a minha intenção é a melhor possível: ajudar a tirar o peso do "falar como um nativo" das suas costas. Se você quiser tentar se aproximar do falar nativo, beleza! Se você não se

---

18 Para entender melhor os procedimentos para o teste de nivelamento, a escolha das frases, a coleta dos dados e as verificações acústica e estatística, confira Fragozo (2017).

importa em ter algum tipo de sotaque estrangeiro, desde que se comunique bem, beleza também! Tudo vai depender do tipo de inglês que você deseja falar, e é isso que abordaremos na seção a seguir.

QUE TIPO DE INGLÊS EU QUERO FALAR?

Você já deve ter percebido que a língua inglesa atingiu uma posição muito importante entre as línguas do mundo, hoje é considerada uma *língua internacional*. O inglês está em todo lugar: nas placas dos restaurantes e lanchonetes, na camiseta que a gente usa, nos rótulos dos cosméticos, nos seriados da Netflix, no cinema, na TV, no rádio, nos livros mais vendidos, nas propagandas, enfim... Esteja você na capital ou no interior, no Brasil, na Tailândia ou na Rússia, o inglês de alguma forma estará lá.

O inglês é falado em praticamente todos os países do mundo, e o número de falantes não nativos já ultrapassou há muito tempo o de falantes nativos da língua. E veja só, hoje o inglês já é mais usado como *língua de contato*, ou seja, uma língua que conecta falantes de diferentes línguas maternas, do que como meio de comunicação com falantes nativos. E é claro que falantes de línguas maternas diferentes terão sotaques diferentes falando inglês, pois agora você já sabe que a primeira língua influencia – e muito – a produção da segunda. O bonito dessa história é que, mesmo com tantos sotaques diferentes, todo mundo geralmente se entende. Sendo o inglês um idioma internacional, não é necessário "falar como um nativo" para ser aceito no mundo globalizado em que vivemos. Entretanto, volto a salientar que há uma grande diferença entre ter *sotaque* e ter uma *pronúncia ruim*. Independentemente de manter um sotaque estrangeiro, precisamos trabalhar na nossa pronúncia se quisermos nos comunicar com o mundo.

Então, que objetivos deveríamos buscar alcançar no nosso aprendizado? Depende. Por que você gostaria de aprender inglês? Para uma entrevista de emprego? Para não passar fome em uma viagem? Para fazer uma prova de mestrado? Para dar uma palestra? Para cantarolar suas músicas favoritas? Enfim, são muitos os motivos que levam uma pessoa a desejar aprender inglês. Por isso, é importante estabelecer metas que condizem com o seu nível de inglês e com as suas necessidades, conforme vimos no Capítulo 1.

Mas qual seria o primeiro passo? De acordo com os pesquisadores na área de ensino de línguas, o primeiro objetivo deveria ser alcançar a *inteligibilidade*, ou seja, falar de um modo que as pessoas entendam. E tem muita gente que já se sente satisfeita nesse estágio e nem se esforça para ir além, na ideia de que "o importante é que me entendam". Se eu concordo com isso? Pelo menos num primeiro momento, eu acho que *sim*, o importante é conseguir se comunicar, sem se importar demais com o fato de o seu inglês estar correto ou não. Você não precisa ser fluente para ser capaz de pedir um lanche no McDonald's, por exemplo. Estando com o dinheiro na mão e pedindo *Number one. Coke.*, está lá o seu lanche e sua Coca gelada. Mas você pode querer mais do que isso, e é aí que vem o segundo estágio: a *fluência*. Ser fluente em um idioma significa ser capaz de articular os sons desse idioma com naturalidade e se comunicar com clareza nas mais variadas situações. Se quiser ir ainda além, o último estágio seria a *acurácia* (ou *precisão*), isto é, quando o aprendiz apresenta uma produção aproximada do falar nativo.

Qual deveria ser a sua meta? Falar somente o básico ou se expressar com clareza e precisão? Manter um sotaque carregado ou tentar se aproximar do falar nativo? Tudo vai depender da sua necessidade, do seu desejo e do quanto você estiver disposto a praticar. Vejamos um exemplo: imagine que dois franceses decidam aprender português para trabalhar no Brasil, um como *chef* de cozinha e o outro como ator de novelas. Para o *chef*, manter o sotaque francês ao falar português pode até ser vantajoso, pois a França é reconhecida internacionalmente pela alta gastronomia e esse sotaque pode, de alguma forma, trazer mais credibilidade e reconhecimento na profissão. Para o ator, por outro lado, manter o sotaque francês pode ser um fator limitador. Se ele quiser atuar em papéis que não sejam necessariamente destinados a personagens que vieram da França, ele terá que tentar eliminar o máximo possível o sotaque estrangeiro e se aproximar do modo que nós, brasileiros, falamos a língua portuguesa. Está vendo? Cada caso é um caso, e a escolha é totalmente sua. É você quem deve ser o agente da sua aprendizagem e definir o próprio objetivo.

SETE DICAS PARA MELHORAR SUA PRONÚNCIA

Depois dessa longa discussão sobre sotaques, sobre o falar nativo e sobre o papel do inglês como língua internacional, chegou o momento de conferir uma série de dicas que vão ajudar a melhorar a sua pronúncia e a sua comunicação. Compartilho com você sete atividades que me ajudaram *demais* durante o meu aprendizado e que utilizo até hoje para manter o meu *speaking* afiado. *Check it out!*

1) Escute e repita

Você pode até achar que a velha técnica do *listen and repeat* (escutar e repetir o que foi dito) está ultrapassada, mas o fato é que ela realmente funciona. Aprender a perceber como os sons de uma língua são pronunciados é essencial para que você possa tentar produzi-los. É claro que você não aprende inglês *somente* ouvindo e repetindo palavras e frases como um papagaio, mas dedicar alguns minutos do seu estudo para escutar uma palavra ou uma sentença em inglês e repeti-la em voz alta imediatamente tentando imitar o que foi dito ajuda (e muito!) a melhorar a pronúncia, a entonação e o ritmo da sua fala. Falar uma língua estrangeira significa que você provavelmente terá que aprender a produzir sons que não existem na sua língua materna. Por isso, é necessário aprender a movimentar a sua língua e os seus lábios de uma maneira que talvez você não esteja acostumado, de modo que a produção desses sons "estranhos" fique cada vez mais automática e natural. É uma questão de treino, mesmo.

Há diversas formas de fazer isso: repetir uma palavra isolada após escutar a pronúncia em um dicionário on-line, pausar um filme para repetir determinada frase que foi dita, procurar *podcasts* e sites específicos para treinamento de pronúncia ou cantar uma música que esteja acostumado a escutar. Se você se sentir confortável, pode até gravar suas produções para depois comparar com a pronúncia do dicionário, do filme ou de qualquer outro material que você esteja utilizando para estudar. O legal de manter essas gravações é que, depois de um tempo, você pode voltar a escutar as suas produções para conferir o quanto seu inglês evoluiu. Será gratificante, pode ter certeza.

2) Dê atenção a palavras e sons que confundem você

Quando eu estava aprendendo inglês, eu simplesmente não conseguia memorizar a pronúncia das palavras *throughout, thought, through, though, thorough* e *taught*. Todas elas pareciam a mesma palavra para mim, não só na pronúncia, mas no significado e na ortografia. Um verdadeiro amontoado de letrinhas! Na época, eu percebi que precisava tomar uma atitude mais *drástica* se realmente quisesse aprendê-las: arranquei uma folha de caderno e escrevi cada uma dessas palavras com o significado em português e uma frase de exemplo ao lado. Como ainda não conhecia os símbolos fonéticos, inventei a minha própria forma de transcrever a pronúncia delas e colei essa folha na porta do meu guarda-roupa. O resultado foi mais ou menos assim:

ESCRITA	SIGNIFICADO	EXEMPLO	MINHA TRANSCRIÇÃO
throughout	Ao longo de	He remained calm throughout the exam.	THRUÁUT
thought	Passado de think (pensar)	I thought she was coming.	THÓT
through	Através de, por	She looked through the window.	THRÚ
though	Apesar de, embora	Though he was tired, he kept running.	THÔU
thorough	Completo(a)	We are making a thorough investigation	THÂROU
taught	Passado de teach (ensinar)	He taught me how to dance.	TÓT

Todo dia, ao me arrumar para sair, eu dava uma olhadinha na pronúncia e no significado dessas palavras na minha folhinha de caderno. E não é que funcionou? Isso me mostrou o quanto é importante identificarmos o nosso ponto fraco e tentarmos solucionar esse problema de alguma forma que funcione para nós. Acho importante ressaltar que essa minha transcrição meio maluca da pronúncia das palavras sem utilizar os símbolos fonéticos adequados pode até ser útil, mas deve ser usada com cautela. Perceba que, como eu não tinha o conhecimento dos símbolos, acabei transcrevendo como "th" tanto o som inicial de *thought* como o de *though*. O problema é que esses sons não são iguais (o primeiro não é vozeado, e o segundo é), e é difícil transcrevê-los sem fazer uso de símbolos específicos. Por isso, conforme fui me interessando mais pelo idioma, passei a conferir a transcrição fonética das palavras que eu gostaria de aprender no dicionário, tentando estabelecer alguma lógica. Assim, eu aprendi que o símbolo para o primeiro som de *thought* é [θ] e para o primeiro som de *though* é [ð] e nunca mais transcrevi como "th" para não causar confusão. Também não foi difícil aprender que, quando uma vogal é acompanhada de dois pontos, isso significa que ela é longa (exemplo: *leave* [li:v]), e que um apóstrofo antes de uma sílaba significa que ela é acentuada (exemplo: *paper* [ˈpeɪ pər]).

Aos poucos, foi ficando mais fácil compreender e identificar os símbolos do *International Phonetic Alphabet* (IPA), o Alfabeto Fonético Internacional, que foi criado há muitos anos a fim de padronizar a representação dos sons das línguas do mundo. Em praticamente qualquer dicionário físico ou on-line você encontra a transcrição fonética das palavras entre colchetes[19] antes do seu significado. Se você conferir em um dicionário, vai perceber que a transcrição daquelas seis palavras que me atormentavam é a seguinte:

ESCRITA	TRANSCRIÇÃO FONÉTICA (IPA)
throughout	θɹuːˈaʊt
thought	θɔːt
through	θɹuː
though	ðoʊ
thorough	ˈθʌɹ oʊ
taught	tɔːt

Portanto, se você detectar uma dificuldade específica na produção de alguma palavra ou som, *pratique*. Faça anotações, procure vídeos e sites que esclareçam a sua dúvida, confira a transcrição fonética e preste atenção na posição da sua língua

---

19 Ou entre barras, no caso de uma transcrição fonológica (exemplo: *paper* /ˈpeɪpər/).

e dos seus lábios na produção desses sons. Aos poucos, o que é um problema vai se tornando natural até que você domine de vez essas produções. No vídeo "15 'erros' de pronúncia mais comuns em inglês", disponível no meu canal no YouTube, apresento alguns exemplos de equívocos comuns cometidos por aprendizes brasileiros de inglês. Assista e aproveite para treinar, ouvir e repetir essas palavras em voz alta.

3) Não se afobe

Esta é uma dica simples, mas muito importante. Muitas pessoas acham que falar bem uma língua estrangeira significa *falar rápido*, e não é bem assim. Quando falamos rápido demais, acabamos não conseguindo articular os sons do idioma de forma adequada, e o resultado pode não sair como o esperado. Uma fala um pouco mais lenta e mais clara será muito mais eficiente do que falar rápido e com uma pronúncia "atropelada".

Por isso, mesmo que você tenha uma tendência de falar rápido em português, tente ter paciência para desacelerar um pouco o seu inglês, sobretudo nos níveis mais iniciais. Falar um pouco mais devagar não é feio e não é uma característica exclusiva de falantes não nativos. Observe a fala de atores, apresentadores e outros artistas americanos, por exemplo. Nem todos falam inglês à velocidade da luz, assim como nem todos nós brasileiros falamos português como se fôssemos tirar o pai da forca. Tente não se comparar com os outros e vá no seu ritmo, aos poucos você conseguirá acelerar a velocidade da sua fala naturalmente.

4) Entre no ritmo

Ter uma boa pronúncia não significa apenas saber produzir palavras isoladamente, mas ter um bom ritmo de fala. Como mencionei no início do capítulo, o padrão rítmico do inglês e o do português não são o mesmo, então é importante tentarmos pegar o ritmo da língua inglesa se quisermos ter uma pronúncia mais natural.

Uma característica básica do ritmo do inglês é o fato de palavras de conteúdo (geralmente substantivos, adjetivos, advérbios e verbos) normalmente serem acentuadas na frase, enquanto palavras funcionais ou gramaticais (preposições, pronomes, conjunções, artigos e verbos auxiliares) são átonas, ou "fracas" na frase. Observe os exemplos:

The <u>book</u> is on the <u>table</u>.
That's the <u>best movie</u> I've ever <u>seen</u>.
Do you <u>like</u> it?
Do you <u>want</u> to <u>come</u>?

Perceba que, tanto em frases afirmativas quanto em perguntas, as palavras de conteúdo (sublinhadas) normalmente serão acentuadas enquanto as palavras gramaticais serão átonas. Perceber esse padrão e dar mais atenção às palavras de conteúdo pode ajudar inclusive a melhorar a sua compreensão do inglês falado. Portanto, comece a prestar atenção nesses padrões e aproveite para aplicar a dica 1: *listen and repeat*.

5) Não perca o tom

Outro aspecto que devemos dar atenção ao estudarmos a pronúncia do inglês é a *entonação*. A entonação (ou entoação) é a variação no tom da nossa voz quando falamos, isto é, a maneira que a nossa voz "sobe" e "desce" na produção de uma palavra ou frase, como se fosse uma nota musical mais aguda ou mais grave. Leia em voz alta os seguintes exemplos:

O João foi ao cinema.
O João foi ao cinema?

Perceba que as duas frases são compostas por exatamente as mesmas palavras. O que diferencia uma afirmação de uma pergunta é exclusivamente a entonação, isto é, a variação no tom da nossa voz.

Os idiomas diferem no que diz respeito à entonação e, por isso, é possível que você esteja aplicando a entonação do português ao falar inglês. O inglês tem basicamente dois padrões de entonação: crescente *(rising)* e decrescente *(falling)*. Observe o diálogo a seguir.

A: Do you like dancing?

B: Yes, I like dancing.

A: What do you like to dance?

Perceba que a pergunta *Do you like dancing?* é feita com o padrão de entonação crescente, ou seja, a voz "sobe" no fim da frase. Esse é o padrão entoacional utilizado em *yes/no questions*, ou seja, uma pergunta cuja resposta será um *sim* ou um *não* – como é o caso do exemplo em questão (*Você gosta de dançar?*). Os dois exemplos que seguem, por outro lado, apresentam uma entonação decrescente, ou seja, a voz desce um tom no fim da frase. No inglês, esse padrão é aplicado em frases declarativas como *I like dancing* (*Eu gosto de dançar*) e em *WH questions,* isto é, perguntas que não podem ser respondidas apenas com *sim* ou *não*, como no caso de *What do you like to dance?* (*O que você gosta de dançar?*).

O diálogo utilizado como exemplo mostra de maneira simplificada as três principais regras para a entonação crescente e decrescente no inglês. A entonação será crescente, portanto, em *yes/no questions,* e decrescente em frases afirmativas e em *WH questions*.

Vale salientar que você pode mudar completamente o sentido de uma pergunta somente pela entonação. Veja:

When does the bus leave?

When does the bus leave?

Sendo uma *WH question,* isto é, uma pergunta que não pode ser respondida com *sim* ou *não* (*Que horas o ônibus sai?*), a entonação esperada seria a decrescente, como no primeiro exemplo.

Se utilizarmos a entonação crescente para fazer essa pergunta, como no segundo exemplo, a ideia que passamos é que alguém já havia dito o horário que o ônibus sai, mas esquecemos. É como se estivéssemos confirmando uma informação, no sentido de *Que horas o ônibus sai, mesmo?*. Por isso, também é importante praticarmos os padrões entoacionais da língua.

6) Desapegue da escrita

Quem vê uma palavra como *thought* logo se apavora com o tanto de consoantes e já fica cheio de dúvidas com relação à pronúncia. De fato, a ortografia do inglês não é a coisa mais simples do mundo.

No português, a relação entre grafema (letra) e fonema (som) é menos complicada, pois a relação entre som e ortografia é mais previsível e regular. Veja o exemplo da palavra *casca*. Ela contém cinco grafemas (letras) e cinco fonemas (sons):

c a s c a –> /'kaska/

Na língua inglesa, por outro lado, a informação fonológica da palavra não é facilmente obtida a partir dos padrões de escrita. Voltemos à palavra *thought*. Ela contém sete letras e apenas três fonemas! Saldo de *quatro* letras mudas!

t h o u g h t –> /θɔt/

A ortografia do inglês é repleta de *silent letters,* ou seja, letras que não são pronunciadas. E você pode até pensar que estudar essas *silent letters* não é tão importante, mas eu posso assegurar que elas fazem *muita* diferença na pronúncia e, às vezes, até no significado das palavras. Além disso, imagine você procurando uma palavra como *know* (saber) no dicionário buscando pela letra *n*!

Vejamos alguns exemplos de palavras que contêm *silent letters* e que podem causar alguma dificuldade para aprendizes de inglês.

B mudo:

> A letra *b* não é pronunciada em palavras que terminam com a sequência *mb*. É importante lembrar que, diferentemente do português, deve-se encostar os lábios para produzir o som de *m* em final de palavra no inglês, assim como você produz o *m* de *mamãe*. Ex.: *bomb* (bomba), *climb* (escalar), *dumb* (tolo), *tomb* (tumba).

> Em alguns casos, a letra *b* não é pronunciada antes de um *t*. Ex.: *doubt* (dúvida), *subtle* (sutil), *debt* (débito).

C mudo:

> A letra *c* não é pronunciada na sequência *sc* em palavras como *muscle* (músculo) e *scissors* (tesoura).

D mudo:

> A letra *d* não é pronunciada nas palavras *Wednesday* (quarta--feira), *sandwich* (sanduíche) e *handsome* (bonito).

GH mudo:

> As letras *gh* não são pronunciadas em palavras como *right* (certo), *sigh* (suspiro), *light* (luz), *daughter* (filha), *weight* (peso), *thought* (pensamento), *though* (apesar de).

H mudo:

> A letra *h* é muda em palavras como *honest* (honesto), *hour* (hora) e *heir* (herdeiro). Entretanto, é pronunciada em palavras como *history* (história), *hospital* (hospital), *happy* (feliz), *hat* (chapéu) e *hill* (montanha).

P mudo:

> A letra *p* normalmente não é pronunciada nas sequências *pn*, *ps* e *pt* em início de palavra. Ex: *pneumonia* (pneumonia), *psychotic* (psicótico), *pterodactyl* (pterodáctilo).

S mudo:

> O *s* não é pronunciado em palavras como *island* (ilha), *isle* (ilha pequena) e *aisle* (corredor).

T mudo:

> A letra *t* é muda em palavras como *castle* (castelo), *whistle* (apito), *listen* (escutar), *fasten* (acelerar), *gourmet* (*gourmet*), *ballet* (balé).

7) Aprenda a conectar os sons

Como já vimos, aprender a falar um idioma vai além de saber pronunciar sons e palavras isoladas, pois a fala é organizada em um *continuum* de sons, sem espaços entre as palavras. Observe como pronunciamos a sequência *as alunas animadas* em português, por exemplo. Na fala contínua, não dizemos *as-alunas-animadas*, com fronteiras entre as palavras. Dizemos algo como *azalunazanimadas*. Por isso, se você quiser ter uma fala mais natural na língua estrangeira, comece a observar como os falantes nativos unem as palavras em frases e tente seguir os passos da Dica 1.

Aqui vão duas regras básicas de *connected speech* (fala encadeada) para você ter uma ideia:

Consoante + Vogal

Quando a palavra terminar em uma consoante e a próxima começar com uma vogal, junte esses sons. Ex: *an orange –> anorange* (uma laranja), *forget about it –> forgedaboudit* (esqueça isso), *can I have a Coke? –> canai havacoke?* (me dá uma Coca?).

Consoante + Consoante

Quando a palavra terminar em uma consoante e a próxima começar com o mesmo som de consoante, não produza esse som duas vezes e nem faça uma pausa. Produza essa consoante uma única vez, mas com uma duração um pouco mais longa. Ex: *social life –> socialife* (vida social), *more research –> moresearch* (mais pesquisa).

5) MEU INGLÊS NÃO EVOLUI

Nos capítulos anteriores vimos que, com organização, foco e uma dose de motivação, é possível superar diversos desafios que podem atrapalhar o seu aprendizado. E a partir do momento que você consegue se organizar e se dedicar a aprender, os resultados começam a aparecer muito mais rápido do que você imagina. Em relativamente pouco tempo você aprende uma porção de palavras novas, consegue ler e entender textos simples e já é capaz até de se virar na fala. Tudo muito bom, tudo muito lindo. Até que os resultados começam a demorar um pouco mais para aparecer e a curva de aprendizado, que antes era íngreme, passa a ser linear. Apesar de já ter boas noções de inglês, você sente que ainda tem um vocabulário limitado, não consegue se comunicar com facilidade e tem a necessidade de traduzir para o português praticamente tudo que lê e escuta. Por mais que você estude, tem a sensação de que não está mais aprendendo nada e começa a desconfiar que alguma coisa está errada.

É nesse estágio que muita gente desanima e até desiste de seguir em frente. Depois de um tempo, alguns voltam a estudar, têm uma rápida evolução no início dos estudos novamente e, quando os resultados começam a demorar para aparecer, desistem de novo. Nesse *ciclo sem fim,* conheço um monte de gente que estuda inglês há mais de dez anos e ainda não tem segurança para se comunicar usando o idioma.

Caso tenha se identificado com alguma dessas situações, não se preocupe. Esse período de estabilidade no aprendizado é muito comum e tem inclusive um nome: *language plateau* (platô linguístico). O objetivo deste capítulo é discutir uma série de fatores envolvidos nessa fase de aparente estagnação do aprendizado e propor atividades para que você consiga chegar cada vez mais perto da tão esperada fluência.

NÃO CONSIGO ENTENDER O QUE EU ESCUTO

A habilidade de escutar, o que chamamos de *listening*, funciona como um "alimento" para o aprendizado de idiomas e, portanto, é fundamental para o desenvolvimento do seu inglês. Como vimos no Capítulo 3, estudar gramática e vocabulário da maneira adequada é importante, mas não é suficiente sem uma boa quantidade de exposição à língua. Mas como fazer com que as informações linguísticas que ouvimos sejam, de fato, absorvidas e adquiridas? E como se começa a praticar o *listening* quando não se entende praticamente nada? Calma que já vamos chegar lá. É importante, contudo, primeiramente entendermos mais a fundo o papel do *listening* no aprendizado.

Toda informação linguística a que somos expostos é chamada de *input*[20] e, sem ele, não conseguiríamos aprender nem mesmo a nossa língua materna. Mesmo se assumirmos a teoria inatista de Noam Chomsky, segundo a qual já nascemos prontos para adquirir a linguagem, o desenvolvimento dessa capacidade só ocorre quando somos expostos a alguma língua. Lembra a história da Genie, descrita no Capítulo 2? Esse caso é justamente uma evidência a favor do papel do *input*, porque, apesar de ter

---

[20] Podemos traduzir *input* como *insumo* ou *entrada.*

nascido com a capacidade de adquirir a linguagem como todos os seres humanos, a menina não foi capaz de desenvolvê-la até os treze anos porque não foi exposta a nenhuma língua. Pode-se dizer, portanto, que ser capaz de adquirir a linguagem e não receber nenhum tipo de *input* é como nascer com asas e ser impedido de voar. Em ambos os casos a ferramenta está disponível, mas precisa ser desenvolvida.

Assim como na aquisição da língua materna, o *input* tem um papel fundamental no aprendizado de línguas estrangeiras. É através dele que recebemos informações a respeito da gramática, da pronúncia e do vocabulário do idioma que desejamos aprender, muitas vezes sem perceber que essas informações estão sendo absorvidas. Mas não pense que a chave do sucesso é simplesmente escutar, cruzar os braços e esperar que o milagre aconteça. Por exemplo, considerando que eu não conheço nenhuma palavra em romeno, será que funcionaria colocar uma música ou uma entrevista em romeno no rádio do carro e ficar escutando sem entender nada na esperança de aprender a língua somente com essa exposição? Provavelmente não, pois as informações entrariam por um ouvido e sairiam pelo outro.

Para que o *input* se transforme em conhecimento, é preciso que ele seja minimamente *compreensível*. De acordo com Stephen Krashen, autor importante na área de aquisição de segunda língua, o *input* compreensível é aquele que está sempre um pouco à frente daquilo que o aprendiz já sabe. Na prática, isso significa que o ideal é praticar a língua utilizando materiais que não são nem muito fáceis e nem muito difíceis para o nosso nível.

Facilitar o *input* pode, portanto, facilitar a compreensão e, consequentemente, o aprendizado, mas esse não é o único aspecto envolvido na aquisição de uma segunda língua. Além da qualidade do *input*, há também a questão da *quantidade*: segundo Krashen, a quantidade insuficiente do *input* recebido por aprendizes de segunda língua em contextos não imersivos é um dos principais fatores para o insucesso na aquisição. Com base nisso, faço uma pergunta: quando foi a última vez que você se propôs a escu-

Carina Fragozo ‹ **93**

tar com atenção para compreender algum material (música, filme, série etc.) em inglês? Caso isso tenha acontecido há muito tempo ou você nem se lembre, parece que temos um problema detectado. A falta de exposição à língua pode ser um dos motivos para o seu inglês ainda não ter evoluído da maneira que você gostaria.

É difícil mensurar uma quantidade de tempo "correta" ou "ideal" para praticar o *listening*, mas eu diria que quanto mais, melhor. Afinal, por que tanta gente investe uma grana para fazer intercâmbio? Porque no intercâmbio não há opção: ou você se dedica para entender o inglês ao seu redor, ou passa muito perrengue. No Brasil, por outro lado, as tentações são muitas: por que sofrer tentando entender o conteúdo de um filme em inglês se é possível assistir dublado ou com legendas em português? Por que assistir aos passos de uma receita em inglês no YouTube se há vídeos com essa mesma receita em português? Por que prestar atenção na letra de uma música se podemos simplesmente curtir o ritmo? E, assim, por falta de *input* compreensível e de uma quantidade suficiente de exposição à língua, muita gente acaba não progredindo ou progredindo devagar demais.

Fazer esforço para compreender uma língua estrangeira *cansa*, não vou negar. Para você ter uma ideia, no meu primeiro intercâmbio eu chegava a ter dores de cabeça nos primeiros dias, tamanho o meu esforço. E olha que eu já sabia um bocado de inglês! Então, a ideia é começar com metas menos audaciosas e adequadas ao seu nível para que essa atividade seja um prazer e não um martírio. Dedicar-se a praticar o *listening* por vinte ou trinta minutos por dia, na minha opinião, é muito mais eficiente do que simplesmente ficar escutando materiais em inglês o dia inteiro sem prestar atenção. Se você perceber que consegue praticar por mais tempo, intercale durante o dia para não ficar cansativo e *vai que é sua!* No começo o esforço será maior, mas com o tempo você vai conseguindo entender o conteúdo com mais e mais facilidade, até o ponto em que ter contato com materiais em inglês será tão fácil e prazeroso quanto escutar qualquer conteúdo que você gosta em português.

Portanto, se você ainda não estiver dando a devida atenção ao *listening*, já está na hora de rever a sua estratégia de aprendizado, pois além de ser a principal fonte de *input,* esta também é uma habilidade extremamente útil. Pesquisas mostram que, em situações reais de comunicação, os adultos passam entre 40% e 50% do tempo ouvindo, entre 25% e 30% do tempo falando, entre 11% e 16% do tempo lendo e cerca de 9% do tempo escrevendo. Isso significa que você precisará escutar e compreender muita coisa para conseguir se comunicar em inglês. Quer saber como? Continue aqui comigo.

CINCO DICAS PARA MELHORAR O SEU *LISTENING*

Agora que você já sabe da importância do *listening* para o seu aprendizado, chegou a hora de falarmos sobre as melhores formas de praticá-lo. Confira a seguir as cinco dicas que preparei especialmente para você e que vão desde a escolha dos materiais de estudo até a preparação para situações reais de comunicação.

1) Escolha o material adequado

Escolher materiais adequados para o seu nível de inglês é extremamente importante para que o estudo traga resultados. De nada adianta você estar no nível básico e decidir praticar o *listening* com um *hip-hop* agitado e cheio de gírias ou estar no nível avançado e não sair da zona de conforto. Para que você consiga estudar com um *input* que seja ao mesmo tempo compreensível e desafiador para o seu nível de inglês, separei algumas opções de materiais em duas categorias, das mais fáceis às mais difíceis. Selecione aquilo que fizer mais sentido para o seu estilo de aprendizado e comece hoje mesmo!

Para começar:

› Procure *podcasts* criados especificamente para aprendizes de inglês, pois a velocidade de fala será controlada, a fala será

Carina Fragozo ‹ **95**

mais cuidadosa e o vocabulário mais simples, sem falar nas dicas linguísticas.

> Assista a vídeos voltados para o ensino de inglês, em inglês, no YouTube. Os professores, tanto nativos quanto não nativos, tendem a falar de forma mais clara e articulada para facilitar a compreensão de quem assiste.

> Procure *audiobooks* separados por nível de inglês. Escolha um assunto do seu interesse e tente entender o conteúdo somente escutando uma vez e, depois, acompanhando a leitura do livro para checar o que entendeu.

> Escolha músicas lentas e calmas, as quais tendem a ser mais fáceis de compreender do que as rápidas e barulhentas, e tente entender o máximo possível sem checar a letra. Depois, acompanhe a letra para verificar o quanto entendeu.

> Divirta-se com desenhos animados! Eles normalmente apresentam vocabulário simples, frases curtas e muitas repetições, o que facilita muito a compreensão.

> Se gostar de assistir a séries, dê preferência àquelas que falam sobre o cotidiano, pois apresentam um vocabulário mais simples. As comédias americanas são uma boa opção, porque os episódios geralmente são curtos e você pode assistir mais de uma vez para praticar (uma vez sem legenda e outra com legenda em inglês para checar a compreensão). Além disso, muitas piadas são acompanhadas de gestos e expressões faciais que ajudam a compreensão.

> Na TV, assista a documentários sobre animais, sobre história e sobre turismo. Eles normalmente apresentam uma narração clara e com muitas ênfases, o que também facilita o entendimento do conteúdo.

Para se desafiar:

> Escute *podcasts* sobre assuntos que interessam você e que não sejam voltados para o ensino de inglês.

> Assista a filmes e séries sobre assuntos que não sejam tão familiares a você, como ficção científica, medicina ou direito.

Tente assistir sem legendas e, se necessário, assista ao mesmo episódio/cena novamente para checar a sua compreensão.

> Escolha uma música rápida e faça um esforço para tentar compreendê-la sem acompanhar a letra. Depois, escute-a novamente enquanto lê a letra para checar o quanto compreendeu. Lembre que cantá-la em voz alta é um jeito de praticar o *speaking* também!

> Assista a vídeos sobre qualquer assunto que seja do seu interesse no YouTube. Aos poucos você encontrará os seus *youtubers* favoritos e criará o hábito de assistir aos vídeos novos que eles postarem semanalmente.

> Assista a programas de TV que não sejam encenados para ter contato com o inglês falado espontaneamente. Entrevistas, *reality shows* e competições de talentos são excelentes opções.

2) Acostume-se com diferentes sotaques

Você já sabe que o inglês é uma língua internacional e que, portanto, é falada nos quatro cantos do mundo. Por isso, tenha contato com diferentes sotaques de inglês, de falantes tanto nativos quanto não nativos. Certamente você não se comunicará apenas com falantes do inglês americano padrão e precisará estar preparado para entender muitas variedades do mesmo idioma. Procure materiais com inglês britânico, australiano, neozelandês, africano, indiano e, inclusive, de diferentes regiões do mesmo país. Você encontra muitas informações sobre o assunto no próprio *English in Brazil*, é só procurar a *playlist* "Sotaques / variantes do inglês pelo mundo" no meu canal para conferir uma série de vídeos sobre diferentes sotaques. Observe essas diferenças e, se achar necessário, busque mais informações sobre as características de cada sotaque. Aos poucos o seu ouvido se ajustará a todas essas variedades e a compreensão será muito mais fácil.

3) Aprenda a escutar o que precisa

Não se desespere quando não entender tudo o que escutar, pois não é preciso entender palavra por palavra para compreender o todo. Eu, por exemplo, até hoje perco uma ou outra palavra nos programas de TV a que assisto, mas isso não atrapalha minha compreensão do que está sendo dito. Suponhamos que, do trecho de um áudio em inglês, você só consiga entender as palavras *bit* (mordeu), *dog* (cachorro) e *boy* (menino). Com a ajuda do contexto e com base no seu conhecimento de mundo, você já consegue entender que provavelmente o cachorro mordeu o menino, e não o contrário (*The dog bit the boy,* e não *The boy bit the dog*). Por isso, fique atento a palavras-chave e aprenda a inferir aquilo que não consegue escutar.

Para praticar a habilidade de entender informações específicas, experimente escrever um resumo do que escutou e depois compare com o roteiro ou com as legendas do que você ouviu/assistiu para verificar se o que você entendeu realmente está de acordo com o que foi dito. Aos poucos, seu *listening* ficará mais afiado e você contará cada vez menos com inferências e adivinhações.

4) Pratique, pratique, pratique

A melhor forma de melhorar o seu *listening* (ou qualquer outra habilidade) é praticando. Conforme vimos no início do capítulo, aprender a escutar para compreender é fundamental para que você atinja o sucesso no seu aprendizado. Por isso, separe pelo menos meia hora do seu dia para praticar o *listening* e tente fazer disso um hábito. Talvez meia hora todos os dias possa parecer muito, mas se você conseguir curtir esse momento com os materiais e conteúdos adequados ao seu nível de inglês e às suas preferências, o tempo passará rapidinho e o seu inglês evoluirá mais rápido ainda. Se você parar para pensar, muitas vezes gastamos até mais de meia hora checando as redes sociais. Por isso, pense nesse tempo como um investimento que trará muitos resultados positivos *and try to have fun!*

5) Prepare-se para a vida real

Uma coisa é escutar um áudio gravado em um estúdio silencioso por um locutor com boa dicção e outra coisa bem diferente é entender o que as pessoas dizem na vida real, no meio do barulho e da correria do dia a dia. Por isso, é importante estar preparado com frases-coringa que permitam o esclarecimento das informações que não conseguir entender. Não há problema *algum* em pedir para uma pessoa repetir o que disse, falar mais devagar ou confirmar uma informação, desde que você seja educado e faça isso de maneira adequada. A maioria das pessoas entenderá que você não é falante nativo de inglês e fará um esforço para se fazer compreender com mais facilidade. Portanto, anote aí as frases que poderão salvar a sua pele em situações reais de comunicação:

> *Excuse me? (Oi?/Quê?)*[21]
> *Sorry? (Oi?/Quê?)*
> *Sorry, could you say that again? (Desculpe, você poderia repetir o que disse?)*
> *Sorry, could you repeat that? (Desculpe, você poderia repetir?)*
> *Sorry, I didn't catch that. (Desculpe, eu não peguei/entendi o que você disse.)*
> *Sorry, I didn't get it. (Desculpe, eu não entendi.)*
> *Sorry, what does ___ mean? (Desculpe, o que significa ___?)*
> *Sorry, I don't know what ___ means. (Desculpe, eu não sei o que ___ significa.)*
> *Could you please speak slowly? (Você poderia falar devagar, por favor?)*
> *Could you please speak a little bit more slowly? (Você poderia falar um pouquinho mais devagar, por favor?)*
> *So, what you mean is that... (Então, você quer dizer que....)*

---

[21] Nunca, em hipótese alguma, diga *What? (O quê?)* na intenção de pedir algum esclarecimento em inglês. Dependendo da entonação, isso pode soar muito rude, como se você estivesse indignado com o que a pessoa disse.

Pronto! Com essas frases na ponta da língua você estará com a faca e o queijo na mão para conduzir a conversa de acordo com o seu nível de inglês. Sabendo fazer essas perguntas quando necessário, você ajuda o seu interlocutor a ajudar você e a adequar a fala para facilitar a sua compreensão.

NA HORA DE FALAR, EU TRAVO

Há uma fase *clássica* no aprendizado de idiomas em que você entende boa parte do que escuta, é capaz de criar frases bastante complexas na cabeça, mas quando abre a boca... fala igualzinho ao Tarzan! Parece que, na hora de falar, algum feitiço acontece e você acaba esquecendo palavras, se enrolando com a pronúncia e se sentindo completamente travado.

Sabemos que o aprendizado de uma língua envolve o desenvolvimento de quatro habilidades comunicativas: ouvir, falar, ler e escrever. Enquanto ler e ouvir são habilidades receptivas, pois funcionam como *input* (entrada), falar e escrever são habilidades produtivas e funcionam como *output* (saída). O fato é que, no que diz respeito ao conhecimento de um idioma, todo mundo tem mais habilidades receptivas do que produtivas. Eu, por exemplo, consigo entender a maior parte do que leio e escuto em espanhol, mas não falo praticamente nada. Sou capaz de ler e interpretar poemas, mas não consigo escrever um. E também consigo entender um número muito maior de palavras em inglês do que eu realmente uso. Por isso, pesquisas em aquisição de segunda língua normalmente concordam que o aprendizado de novos itens ocorre primeiro de forma receptiva para depois esses itens passarem a fazer parte da competência produtiva.

Com base no processo de aquisição de língua materna, Krashen, autor já mencionado na seção anterior, propôs, nos anos 1980, que o foco do aprendizado de línguas estrangeiras deveria ser nas habilidades receptivas, que forneceriam o *input* necessário para a aquisição de novas estruturas linguísticas. De acordo com o autor, praticar a fala e a escrita logo no início do processo de aprendizagem seria um erro, porque o aprendiz ainda não estaria pronto para desenvolver suas habilidades produtivas. Nessa visão, a fala seria uma consequência do domínio das habilidades receptivas e se desenvolveria naturalmente, após o que ele chama de *silent period*. Nesse "período silencioso", o aprendiz estaria internalizando as informações da língua estrangeira e se preparando para o momento em que as habilidades produtivas começassem a se desenvolver, assim como as crianças levam um tempo para começar a falar suas primeiras palavras. Segundo o autor, forçar os aprendizes de línguas estrangeiras a falar quando ainda não estão prontos geraria ansiedade e um sentimento de incapacidade.

Um dos problemas dessa proposta é que, na maioria dos casos, o desejo do aprendiz é ser capaz de se comunicar ativamente por questões de trabalho, de viagens e todas aquelas situações que já foram mencionadas ao longo deste livro. Sendo assim, seria inviável esperar pacientemente até a fala se desenvolver naturalmente como consequência do domínio do *listening* e da leitura. Outro problema é que, como a duração do *silent period*, que é uma ideia especulativa, não seria a mesma entre as pessoas, seria difícil agrupar alunos em uma mesma sala de aula em cursos de idiomas, pois enquanto alguns já estariam prontos para falar, outros demorariam muito tempo até decidirem participar da aula voluntariamente.

Mas mais importante que isso é o fato de que nem sempre a fala se desenvolve naturalmente conforme o previsto pelo autor. Muitos aprendizes praticamente dominam as atividades receptivas, isto é, escutam e leem muito bem, mas não conseguem desenvolver atividades produtivas como a fala. Além disso, estudos como o de Tanaka (1991) e Yamakazi (1991) mostram que o *input* sozinho não é suficiente para que determinadas estruturas gramaticais sejam adquiridas, o que nos leva a crer que o *input* compreensível é essencial para que o aprendizado de uma segunda língua ocorra, mas não é suficiente.

Com base nisso, pesquisas mais recentes na área de aquisição de segunda língua passaram a considerar outros fatores, além do *input,* no processo de aprendizagem. A pesquisa de Swain (2005), por exemplo, aponta que *input* sozinho não é suficiente justamente por um fator que já foi abordado neste capítulo: quando escutamos algo, somos capazes de interpretar significados, mesmo sem entendermos a estrutura completa das frases. Por isso, é somente em atividades que envolvem algum tipo de produção (fala, escrita) que o aprendiz tem a chance de perceber, de fato, o que sabe e o que ainda não sabe. Para produzir uma frase, é preciso saber a ordem das palavras e ter o conhecimento da estrutura da língua em questão, o que não é necessário em atividades receptivas como a leitura e o *listening.*

De qualquer forma, o fato é que o papel de atividades produtivas não invalida a importância de atividades receptivas e vice--versa. Haverá, sim, um período do aprendizado em que, por falta de conhecimento e contato com a língua, o aprendiz ainda não será capaz de formar frases e se comunicar de forma espontânea. Entretanto, isso não significa que é preciso aguardar pacientemente o grande dia em que a fala começará a se desenvolver a partir de tudo que se escuta e lê em inglês.

A ideia de priorizar as habilidades receptivas e postergar as produtivas vem de uma tradição no ensino de línguas em que as quatro habilidades comunicativas (ouvir, ler, falar e escrever) eram vistas de forma separada. Mas pare para pensar: na vida real, essas quatro habilidades estão sempre integradas, pois não se fala sem ouvir, não se ouve sem falar, não se escreve sem ler e não se lê sem escrever. Para fazer uma palestra, por exemplo, o apresentador geralmente escreve notas para guiar a sua fala (escrita + fala), e a plateia toma notas do que ouve (escuta + escrita). Até para pedir um café na lanchonete, precisamos saber escutar e falar ao mesmo tempo. O uso de uma habilidade sempre leva ao uso de outra e, por isso, parece fazer mais sentido praticarmos essas quatro habilidades de maneira integrada para que a competência comunicativa seja desenvolvida.[22]

Tá, mas e a fala? Quando ela começa a ficar automática? Calma, eu sei que você está ansioso para o momento em que abrir a boca para falar inglês seja tão fácil quanto para falar português. Mas é fato que, no início do aprendizado, produções espontâneas serão muito raras, porque você ainda não tem o conhecimento linguístico necessário para formular frases e usar o vocabulário adquirido de maneira automática. Por isso é preciso, sim, ter paciência, persistência e uma boa dose de *input* compreensível para que você finalmente comece a produzir o inglês de forma natural e na velocidade que deseja. Mas isso não significa, de forma alguma, que praticar a fala desde o comecinho do aprendizado seja impossível! A diferença é que você não fará isso de forma espontânea, mas por meio de atividades controladas que certamente darão aquele empurrãozinho no seu *speaking* desde o início.

Diferentemente das outras habilidades, a fala tem uma realidade física, pois envolve o controle da língua, dos lábios e das cordas vocais para que os sons sejam produzidos de forma adequada. Por isso, quanto antes nos dispusermos a treinar esses músculos para a produção do idioma que desejamos aprender, mais fácil será "destravar" a fala em situações reais de comunicação.

CINCO DICAS PARA MELHORAR O SEU *SPEAKING*

Destravar a fala é o grande desejo da maioria dos estudantes de inglês. Quer saber a melhor forma de fazer isso? *Falando.* Como vimos, a fala envolve uma realidade física e, por isso, é preciso muito treino para dominar essa habilidade. O problema é que nem sempre há com quem conversar, sobretudo se você mora

---

[22] Esta visão é defendida por muitos pesquisadores na atualidade, como Brown (2007), Harner (2007) e Hinkel (2006).

Carina Fragozo ‹ **103**

no Brasil, pois não é muito fácil encontrar um estrangeiro ou alguém disposto a conversar em inglês por aqui. E, mesmo vivendo em países falantes da língua inglesa, muitas pessoas evitam se comunicar em inglês por insegurança e praticamente se escondem quando participam de eventos que requerem algum tipo de interação. Por isso, é importante começar a treinar a fala sozinho mesmo, sem cobranças, sem pressa e sem medo de errar, para aos poucos se sentir mais confiante para interagir com outras pessoas. Para ajudar você nesse processo, preparei uma série de atividades que possibilitam a prática do *speaking* desde o nível básico até os níveis mais avançados.

1) Pronuncie as palavras e frases que aprender

Esta dica serve tanto para quem está bem no comecinho do aprendizado quanto para aqueles que já estão mais familiarizados com o idioma. Durante os estudos, quando aprender uma palavra ou frase nova, fale-a em voz alta. Isso ajuda não só a melhorar a sua pronúncia, mas também a ter uma memória oral (e não somente escrita) da palavra/frase. Na prática, isso funciona da seguinte forma: suponhamos que você esteja assistindo ao vídeo sobre inglês no aeroporto que publiquei no canal *English in Brazil*. Você pode assistir a esse vídeo uma vez prestando atenção nas informações e anotando o que achar necessário e, depois, assistir novamente pausando o vídeo após cada palavra ou frase para repeti-las em voz alta. Perceba que essa atividade promove a integração das quatro habilidades comunicativas independentemente do seu nível de inglês: você pratica o *listening*, porque escuta as frases; o *reading,* porque lê essas frases na tela; o *writing*, porque anota as frases que considerar relevantes no seu caderno de vocabulário ou aplicativo de celular; e o *speaking,* porque fala essas frases em voz alta.

Agora suponhamos que você esteja estudando com um livro, e não com um vídeo. Nesse caso, se você encontrar uma palavra nova e não tiver certeza da pronúncia correta, digite-a em um dicionário on-line, escute a pronúncia e repita em seguida. Se preferir, também é possível conferir a pronúncia de palavras e frases curtas no Google Tradutor, pois, de modo geral, ele apresenta uma pronúncia bastante confiável (com sotaque americano, caso esteja acessando o Tradutor no Brasil). O mais legal é que isso pode ser feito desde o seu primeiro dia de estudo e sem depender de mais ninguém!

2) Solte a voz

Outra forma de praticar a fala desde o início do aprendizado é cantando. A vantagem neste caso é que a própria música oferece a pronúncia correta das palavras e você pode praticar o *listening*, o *reading* e o *speaking* ao mesmo tempo. O importante nesta atividade é não apenas escutar a música e, sim, *cantar junto*, mesmo que seja bem baixinho, para acostumar a sua língua e os seus lábios a produzir tantos sons "estranhos" para nós, falantes nativos de português. Essa prática é relevante porque desenvolve não só a habilidade de pronunciar palavras individuais, como também a de conectar as palavras em sentenças (*connected speech*). Escolha músicas mais lentas para começar e, aos poucos, você vai pegando o ritmo do inglês e as palavras começam a sair com mais facilidade da sua boca. Isso tudo fazendo algo que, na minha opinião, é muito divertido!

3) Leia em voz alta

Para quem já tem certo conhecimento da língua, ler textos em voz alta também é uma prática que ajuda muito a destravar a fala. Nesse caso, a técnica é simples: em vez de ler textos em inglês mentalmente, leia em voz alta. Quando encontrar uma palavra que não souber pronunciar, já sabe: digite essa palavra em um dicionário on-line ou no Google Tradutor e pronuncie em seguida, ou então anote a palavra para checar a pronúncia depois que você acabar de ler o texto.

É claro que, às vezes, essa prática acaba atrapalhando a compreensão do conteúdo que você está lendo, pois você se preocupa tanto em falar que não consegue prestar atenção no contexto.

Por isso, é interessante começar com textos mais simples, de modo que você consiga ao mesmo tempo falar e interpretar com mais facilidade. Caso você ainda se sinta inseguro para praticar a leitura em voz alta porque tem muitas dúvidas de pronúncia, uma opção é buscar sites e materiais que oferecem o áudio dos textos. Nesse caso, você escuta um trecho e lê em seguida, com base no modelo que escutou.

O simples ato de substituir a leitura mental pela leitura em voz alta foi algo que me ajudou demais a destravar a fala. Utilizo essa técnica até hoje, *literalmente*, pois há poucos minutos consultei um texto para escrever este capítulo e li tudo em voz alta para praticar o meu *speaking*, já que não tenho com quem falar inglês todos os dias. Essa prática serve, portanto, não apenas para aqueles que estão aprendendo a falar inglês, mas também para quem já sabe e não quer deixar a língua enferrujar.

4) Fale sozinho

Falar sozinho: para alguns, coisa de gente maluca e, para nós, estudantes de línguas estrangeiras, uma técnica poderosíssima para destravar a fala. A vergonha e o medo de falar em público são, como já vimos, grandes obstáculos no caminho de quem estuda inglês. Por isso, nada melhor do que aproveitar nossos momentos solitários para soltar a língua e discutir desde o assunto mais básico até o mais complexo em voz alta, sem ter que lidar com o sentimento de insegurança de estarmos expostos a um grupo de pessoas. Essa prática representa um passo à frente das três técnicas já apresentadas, porque ela envolve o desenvolvimento da fala espontânea, aquela que a gente tanto precisa para se comunicar em situações reais.

Vejamos como isso funciona na prática: se você estiver no nível básico ou intermediário, comece aplicando aquilo que estudou durante a semana construindo frases sobre o seu cotidiano e falando-as em voz alta. Suponhamos que você já tenha aprendido a fazer frases no passado simples, como *I visited my grandparents yesterday* (*Ontem eu visitei meus avós*) e *I didn't go to the party last week* (*Eu não fui à festa na semana passada*). Quando estiver no carro, a caminho do trabalho, tente construir frases sobre o que você fez no dia anterior em voz alta utilizando essas estruturas que você já sabe. Por exemplo: *I woke up at 7am, brushed my teeth and left to work. I didn't have breakfast because I was late.* No dia seguinte, se já souber construir frases no futuro com *will* e *going to*, planeje a sua semana em voz alta: *Tomorrow I'm going to the supermarket because I have to buy some milk. Maybe I'll go to the party on Saturday, but I'm not sure.* E assim por diante, sempre tentando utilizar o vocabulário e as estruturas que você já aprendeu. Se estiver preocupado em parecer maluco aos olhos dos outros motoristas, que tal usar um fone (desligado) enquanto pratica o *speaking*? Ninguém vai perceber que você está, na verdade, falando sozinho!

Essa técnica também é útil tanto para quem deseja destravar a fala quanto para quem já sabe inglês e não tem com quem conversar. Para você ter uma ideia, eu falo sozinha em inglês praticamente todos os dias para não perder a prática de falar a língua. A hora do banho, por exemplo, é perfeita para bater aquele papo consigo mesmo: você fala baixinho e ninguém da casa escuta por causa do barulho da água. Se não souber sobre o que falar, simplesmente recapitule tudo aquilo que fez durante o dia, faça planos para o dia seguinte, argumente por que gosta ou não gosta de um programa de TV, enfim... Este é o *seu* momento.

Se tiver um bichinho de estimação, que tal estipular o inglês como língua de contato entre vocês? Ele pode inclusive ter uma vozinha fofa para responder em inglês, afinal, quem *never* bateu altos papos com o cachorro? Se tiver uma apresentação para fazer no trabalho ou na faculdade, que tal apresentá-la para o espelho antes do grande dia? Se gostar de assistir a vídeos no YouTube, que tal fingir que é *youtuber* e gravar um vídeo inteiramente em inglês sobre um assunto que escolher? São muitas as formas de treinar a fala sozinho, então tudo o que você precisa fazer é praticar da forma que fizer mais sentido para você e soltar a língua!

5) Interaja

Praticar o idioma sozinho é, sem dúvida, uma excelente forma de ganhar confiança para falar inglês. Mas situações reais de interação entre você e outras pessoas são fundamentais para que a língua seja, de fato, adquirida. Somente quando falamos com alguém temos a oportunidade de receber algo muito precioso: *feedback*. É claro que o *feedback* pode vir do seu professor, que faz correções quando necessário e guia o seu aprendizado, mas ele também pode vir de qualquer pessoa que interaja com você em inglês. Somente conversando com outra pessoa você consegue testar se é capaz de compreender e fazer-se compreendido. Quer um exemplo? Por muito tempo eu pronunciei a palavra *yogurt* (iogurte) como "*iógurt*" [ˈjɔ gərt] em vez de "*iougurt*" [ˈjəʊ gərt] achando que estava certo. Até eu fazer o meu primeiro intercâmbio e pedir um *milkshake* de iogurte na lanchonete. Acredita que por essa simples vogalzinha trocada o atendente não entendeu de primeira o que eu estava pedindo? Ele pediu para eu repetir e, quando entendeu, disse: *Oh,* [ˈjəʊ gərt]*! Sure!*". Nesse *feedback* espontâneo eu percebi, pela primeira vez, que estava pronunciando essa palavra de forma incorreta e que isso poderia prejudicar a minha comunicação. Por estar tão acostumada a usar a vogal errada, talvez eu jamais percebesse esse detalhe na minha pronúncia sem que alguém me apontasse. Por isso, serei eternamente grata a esse rapazinho da lanchonete. *Thanks, buddy!*

Conversar com outra pessoa envolve certa negociação, pois você se esforça para ser compreendido e a pessoa se esforça para compreender você. Muitas vezes você acha que o que está dizendo faz sentido até receber como resposta um *Sorry, what did you say? (Desculpe, o que você disse?)* ou um *Excuse me? (Oi?)* e, então, você se dá conta de que há algo na sua mensagem que precisa ser modificado para que o interlocutor entenda aquilo que você está tentando dizer. Nesse caso, você tenta reformular a frase, pronunciar as palavras de outra forma, ou até pedir ajuda do seu interlocutor: *Sorry, I don't know how to say this in*

English (Desculpe, eu não sei dizer isso em inglês [apontando para um objeto].). Falhas na comunicação e desentendimentos serão inevitáveis, mas fazem parte do processo e, muitas vezes, são bem engraçados.

Portanto, comece a praticar o inglês em atividades controladas seguindo as quatro primeiras dicas desta seção, mas, assim que achar que consegue, procure alguém para conversar e colocar tudo isso em prática. Se você estiver em um país de língua inglesa, é claro que fica mais fácil encontrar pessoas para praticar: basta, por exemplo, ir a uma loja e falar com o vendedor, ou então pedir um prato no restaurante. Mas, se você estiver no Brasil, também há muitas possibilidades. Veja algumas delas:

› Se estiver com o prazo apertado para se preparar para uma viagem, um evento ou uma apresentação, contrate um professor particular qualificado para fazer pelo menos uma aula por semana. Desse modo, você recebe o *feedback* corretivo adequado e consegue perceber os pontos que precisam ser melhorados na sua fala.

› Combine com os seus colegas da escola, da faculdade ou do trabalho para falar somente em inglês no horário do almoço, no intervalo, ou em qualquer outro momento específico do dia. A ideia é que todos tentem usar o inglês 100% do tempo, independentemente do nível de proficiência.

› Convide amigos que tenham interesse em praticar o inglês, independentemente do nível, para um momento "*English only*", em casa ou em um barzinho. A ideia é reservar a ocasião para falar somente em inglês com pessoas que você já conhece, o que pode reduzir a timidez e o medo de errar. Afinal, são seus *brothers (and sisters)*!

› Convide os amigos para jogar *games* que envolvam, de alguma forma, o inglês. Eu, por exemplo, adoro jogar *stop* – também conhecido como *adedanha, adedonha* ou *nome-lugar-e-objeto* – com a minha irmã nas férias. Esse jogo é aquele em que cada participante escreve categorias como *Nome – Lugar – Fruta –*

Objeto – Marca etc. em uma folha de papel e, então, se escolhe uma letra do alfabeto para que todos preencham essas categorias com uma palavra que comece com esta letra. Quem conseguir completar todas as categorias em menos tempo grita *stop* e vence a rodada. É simples, é de graça e é divertido. *Have fun!*

> Procure sites e aplicativos que promovam a interação entre pessoas de diferentes países. Alguns são gratuitos e desenvolvidos especialmente para o aprendizado de línguas, o que é muito legal. Mas fique esperto para não compartilhar fotos e informações pessoais porque qualquer tipo de pessoa pode participar desses sites, viu? Também há sites e aplicativos pagos com o mesmo objetivo, nos quais você pode fazer aulas ou simplesmente bater um papo com falantes nativos de inglês pela internet. Nesse caso, o papo é mais seguro e o professor/tutor estará preparado para ajudar você a falar e a entender.

NÃO CONSIGO PENSAR EM INGLÊS

Eu não poderia deixar de incluir neste livro uma questão que sempre surge nos comentários dos meus vídeos: como pensar em inglês? Será que tem alguma técnica para chegar a esse nível? Falaremos sobre isso em seguida, mas primeiro eu convido você a refletir sobre essa coisa de "pensar em inglês". Será que a gente pensa mesmo em alguma língua?

De acordo com o psicólogo e linguista canadense Steven Pinker, não. Não pensamos em português, em inglês, em francês ou em qualquer outra língua, mas em *mentalês,* a língua do pensamento. Pinker defende a ideia de que o pensamento e a linguagem são coisas completamente diferentes, e que nossas representações mentais são formadas por símbolos, e não por palavras. Quando lembramos que temos que pagar uma conta, por exemplo, normalmente não pensamos em uma sequência de palavras como *Preciso pagar a conta amanhã,* mas em uma série de símbolos e imagens que nos fazem lembrar da conta sem a necessidade de traduzir isso em palavras.[23] Nossos pensamentos ocorrem de maneira tão rápida que uma sequência de palavras jamais poderia dar conta. Maluco isso, né? Mas, pelo menos para mim, faz total sentido.

Por isso, quando alguém diz que quer aprender a "pensar em inglês", o que eu entendo é um desejo de parar de traduzir tudo que se lê, se escuta, se escreve e se fala do português para o inglês ou o contrário. Se saber uma língua significa saber traduzir nossos pensamentos em palavras e vice-versa, conforme o proposto por Pinker, aprender um novo idioma significa ser capaz de traduzir do pensamento diretamente para a língua estrangeira, sem o intermédio da língua materna.

Quando escutamos ou lemos algo em português ou em um idioma que falamos fluentemente, quase nunca prestamos atenção na forma como o texto foi escrito ou na maneira que determinada frase foi construída, pois estamos focados em compreender o significado da mensagem. Sendo assim, espera-se que no estágio final da aquisição do novo idioma o aprendiz consiga processar informações da língua estrangeira sem a interferência da língua materna e de forma inconsciente, com foco no conteúdo e não na forma, do mesmo modo que processamos as informações na nossa primeira língua.

TRÊS DICAS PARA EVITAR A TRADUÇÃO MENTAL

Nunca fui o tipo de professora que proíbe terminantemente os alunos de traduzirem qualquer informação para o português, pois em algumas situações recorrer à língua materna pode ajudar na compreensão de um conceito ou de uma estrutura na língua estrangeira. Mas, sem dúvida, parar de traduzir tudo o

---

[23] Isso não significa que palavras nunca apareçam nos nossos pensamentos, pois, de acordo com Pinker, do mesmo modo que conseguimos traduzir pensamentos em palavras, conseguimos traduzir palavras para a língua do pensamento.

tempo todo é um grande passo para começar a falar de forma mais natural, com menos hesitações e com mais confiança. Para isso, é preciso acostumar o seu cérebro a ativar o "modo inglês" e desativar o "modo português" sempre que desejar. Assim como é possível treinar a fala, os ouvidos, a leitura e a escrita, também é possível treinar o seu cérebro para parar de traduzir tudo que vir pela frente. Confira algumas dicas que irão ajudar você a fazer isso.

1) Controle os seus pensamentos

Para que o inglês realmente comece a fazer parte dos seus pensamentos, você pode aplicar algumas técnicas que não requerem nenhum material de estudo além da sua cabeça. Uma prática que você pode testar agora mesmo, independentemente do seu nível de proficiência, é nomear mentalmente tudo o que estiver ao seu redor e que você já saiba dizer em inglês. Por exemplo, se neste momento você estiver na sala da sua casa, tire os olhos do livro, observe tudo que está à sua volta e pense em uma palavra para nomear cada coisa, sem usar o português: *TV, clock, sofa, chair, computer, plant, wall, door etc.* Faça isso em diferentes lugares e momentos do seu dia para começar a acostumar o seu cérebro com a nova língua. Tente associar as palavras que aprender aos seus conceitos ou às suas imagens, e não às suas traduções para o português. Ao ver uma cadeira, por exemplo, evite fazer a relação da palavra *chair* com a sua tradução para o português e tente relacionar esta palavra à imagem (o objeto que você vê ou lembra) ou à definição (*a piece of furniture where you can sit*).

Quando você já tiver um conhecimento um pouco maior, continue fazendo essa atividade, mas usando frases com as estruturas que você já aprendeu. Planeje o seu dia, reflita sobre um problema ou relembre um acontecimento usando palavras e frases em inglês no seu pensamento. Sempre que for possível, narre suas ações em inglês mentalmente. Por exemplo, se estiver indo do quarto para a cozinha pegar algo para comer, descreva essa ação em inglês a fim de que a língua esteja sempre ativada na

112 ❭ *Sou péssimo em inglês*

sua cabeça (exemplo: *Now I'm going to the kitchen to get something to eat because I'm hungry.*).

2) Mergulhe na língua

Neste capítulo, já falamos bastante sobre o quanto é importante ler e escutar materiais em inglês todos os dias e praticar a fala sempre que possível para o inglês entrar de vez na sua vida. Experimente também colocar as configurações do seu celular e das suas redes sociais em inglês, comece a seguir perfis de pessoas famosas que publicam conteúdo em inglês e substitua as legendas em português das suas séries favoritas por legendas em inglês assim que conseguir acompanhar o conteúdo dessa forma. Quando precisar consultar o significado de uma palavra, dê preferência para dicionários monolíngues (inglês-inglês) e, quando decidir anotar uma palavra nova no seu caderno de vocabulário ou aplicativo, procure escrever a definição da palavra em inglês e/ou uma frase que deixe claro o seu significado para evitar a tradução. Insira o inglês na sua vida e sempre que puder realizar alguma atividade usando esse idioma em vez do português, faça isso.

3) Tenha paciência

Eliminar o português dos seus pensamentos será resultado de muito, mas muito contato com a língua que você deseja aprender. Riscar a tradução da sua vida é um processo, e não algo que acontece do dia para a noite. Por isso, tenha paciência e persistência para que os resultados de todas essas práticas comecem a aparecer. Por experiência própria, eu garanto que, se você colocar tudo isso em prática, os resultados começarão a aparecer muito mais rápido do que você imagina.

EU *não* SOU PÉSSIMO EM INGLÊS

Ao longo deste livro, discutimos uma série de assuntos e dúvidas muito comuns no que diz respeito ao aprendizado de línguas estrangeiras. No primeiro capítulo, vimos que estabelecer metas e prazos é uma excelente forma de organizar e monitorar o aprendizado e que é muito importante manter o máximo de contato com a língua independentemente da forma que você decidir estudar. Vimos, também, que a maioria dos erros linguísticos que cometemos ocorre por recorrermos ao conhecimento da nossa língua materna e constantemente formularmos hipóteses a respeito da língua sendo adquirida. No Capítulo 2, vimos que as crianças têm mais facilidade para adquirir línguas por razões biológicas e sociais, mas que aprender novos idiomas depois de adulto é totalmente possível. É importante, contudo, entender que a aquisição da primeira língua e o aprendizado de um novo idioma são processos totalmente diferentes e que, por isso, é preciso saber utilizar as estratégias adequadas. No terceiro capítulo, discutimos o papel do estudo da gramática e do vocabulário para o aprendizado de línguas e vimos a importância de equilibrar o foco na forma e no conteúdo para aprender tanto por instrução quanto por exposição ao idioma. No Capítulo 4, vimos que não é preciso falar exatamente como um nativo para nos expressarmos e sermos aceitos no mundo globalizado em que vivemos, mas que é importante dar atenção à nossa pronúncia para termos sucesso na comunicação. Por fim, no Capítulo 5, vimos uma série de fatores que podem gerar uma aparente estagnação no aprendizado de línguas e discutimos a importância de ter uma quantidade suficiente de *input*, de praticar a fala de maneira controlada para facilitar a comunicação espontânea e de integrar as quatro habilidades linguísticas desde o início do processo (*reading, writing, listening, speaking*). Além disso, discutimos a ideia de "pensar em inglês" e vimos que é possível praticar a língua até em pensamento.

Todas as dicas e todos os tópicos incluídos neste livro foram escolhidos a dedo especialmente para você. Portanto, espero ter conseguido quebrar alguns mitos com apoio em evidências científicas, encorajado você a (re)começar ou continuar os estudos e, além disso, mostrado que *ninguém é péssimo em inglês*. Para dar ainda mais um empurrãozinho, pedi para os seguidores do *English in Brazil* compartilharem suas histórias com a língua inglesa nas minhas redes sociais, e você pode conferir algumas dicas e alguns depoimentos a seguir. Inspire-se e prepare-se para escrever a sua própria história também. Basta descobrir o seu jeito de aprender e seguir em frente!

"Quando precisava falar inglês, eu já começava uma frase com 'não sei falar inglês' ou 'meu inglês é muito ruim'. Decidi fazer intercâmbio e, quando me perdi no voo de escala, precisei me virar sozinha. Foi então que eu percebi que eu já falava inglês! A sensação de que eu nunca alcançaria a fluência foi embora!"

— Moane Grego, 23 anos, São Paulo/SP

"A cada dia descubro uma palavra nova ou um significado novo para uma palavra que já conhecia. O inglês me possibilitou muitos prazeres pessoais como assistir a séries sem legenda, entender piadas que só fazem sentido em inglês, ler livros em inglês, escutar e entender músicas internacionais e até dar aulas de inglês. O inglês abre portas no mundo e para o mundo inteiro."

— Ezequiel Almeida, 26 anos, Arapiraca/AL

"Chorei na avaliação do curso para saber em que nível ficaria, porque o inglês sempre foi uma barreira, um bloqueio. Ainda erro muito, mas perdi a vergonha e aprendi a me orgulhar de conseguir me comunicar. Já viajei usando meu inglês e deu tudo certo!"

— Carol Chacon, 32 anos, Rio de Janeiro/RJ

"Eu sou a prova viva de que não é necessário ir para um país de língua inglesa para adquirir a fluência, pois aqui mesmo é possível desenvolvê-la. Procure algo que te motive e tenha amor à língua, assim como eu tenho."

— Kate Elen, 39 anos, Brasília/DF

"Durante meu processo de aprendizagem, não tive uma pessoa para praticar o idioma comigo. Por isso, procurei alternativas: criava conversações comigo mesmo durante o banho, falava na frente do espelho ou simplesmente tagarelava pela casa conforme ia aprendendo estruturas e vocabulário. Hoje posso dizer que todo o esforço valeu muito a pena!"

— Gustavo Decleve, 20 anos, Americana/SP

"Tenho 67 anos e me vi perdida em uma viagem de turismo na Irlanda sem poder acompanhar os guias dos museus europeus, então hoje estou 'tendo' que estudar inglês, haha! O aprendizado de idiomas é um ótimo antídoto contra o envelhecimento cerebral!"

— Selma Leão, 67 anos, Rio de Janeiro/RJ

"Faz três anos que estudo inglês. Tenho amigos que estudam comigo desde o primeiro módulo e já alcançaram a fluência, mas eu ainda não consegui. Não fico frustrada por isso, pelo contrário: fico feliz por eles e sigo firme. Não posso desistir do meu sonho, mesmo que a 'minha pegada' seja mais lenta comparada à deles. Cada um tem seu jeitinho."

— Jaqueline Lima, 20 anos, São Paulo/SP

"Estudei inglês desde os nove anos de idade, mas acredito que nunca é tarde para aprender um novo idioma. Há três semanas comecei a estudar francês sozinha e estou admirada com o resultado."

— **Aline Rocha, 30 anos, Medianeira/PR**

"Eu sempre odiei a língua inglesa, principalmente durante o período escolar, sempre 'colava' nas provas. Em 2015, depois de ver um vídeo no YouTube de um estudante que aprendeu a gostar de inglês por necessidade, eu tive um clique. Foi assim que, aos 45 anos de idade, eu fiz as pazes com a língua de Shakespeare. Comecei com aplicativos de celular para ter uma base, depois descobri maravilhosos vídeos no YouTube. Estudo todos os dias, todos os dias eu aprendo e não pretendo parar nunca de estudar."

— **Léa Theuleau, 48 anos, mora na França**

"Meu contato com a língua inglesa começou quando eu tinha onze anos em escolas especializadas, porém, eu não gostava e ia forçado às aulas. Alguns anos depois resolvi procurar outras formas de estudar. Fiz aulas particulares durante dois anos e acabei me desenvolvendo bem mais rápido. *Never give up and always find a new way to learn English!*"

— **Pedro Melo, 21 anos, São Paulo/SP**

"Não existe fórmula mágica nem caminho certo ou errado, a fórmula é individual e cabe a cada um descobrir qual é. É como entrar em um novo mundo, e isso pode ser um pesadelo ou um paraíso, dependendo do que escolhermos."

— **Ana Caroline de Almeida Alves, 29 anos, Uberlândia/MG**

"Nunca me esqueço do meu primeiro dia no ensino médio, quando na nova escola todos falavam em inglês com a professora. Naquele momento pensei: 'eu preciso aprender inglês!'. Desde então tenho estudado todos os dias, fiz um ano de curso e estudo todos os dias pelo YouTube (no *English in Brazil* estou desde o primeiro vídeo) e pela internet. Hoje, consigo me comunicar bem, estou no 3° ano da Engenharia, leio e escrevo artigos científicos em inglês e agora vou apresentar minha pesquisa em um congresso internacional (em inglês!!!). Para completar vai fazer um ano que dou aula na escola onde fiz o curso de inglês. O inglês transformou minha vida!"

— **Thiago Dias, 20 anos, Guaratinguetá/SP**

"Passei um ano no Texas no meu doutorado sanduíche em fitotecnia. Ainda não cheguei à fluência, mas estou estudando pra fazer o teste do TOEFL. Eu não tenho muita facilidade com a língua, mas melhorei bastante e tenho um sonho de ser fluente. O inglês é apaixonante e te conecta com o mundo todo."

— **Aline Priscilla Gomes da Silva, 28 anos, São Paulo/SP**

"Como tudo na vida, aprender inglês vai exigir muito de você. Às vezes tenho que parar o aprendizado de inglês porque o meu trabalho como contador exige muito, mas não tenho pressa."

— **Mauro Marques, 51 anos, São Paulo/SP**

"Acho que cada pessoa tem seu tempo. Uns aprendem vendo vídeos, outros estudando muito, outros morando fora... e alguns, como eu, fazem isso tudo e ainda estão no processo para alcançar a tão sonhada fluência. Mas o importante é não desistir e não se frustrar com suas limitações. Persistir é o caminho."

— **Lícia Rodrigues Couto, 32 anos, Brasília/DF**

"Existe um caminho sem volta depois que se aprende uma nova língua. Tal caminho é repleto de aventuras, palavras descobertas, novas experiências e muitos micos! Mas os micões não interferem em nada, pelo contrário: são perfeitos como memórias."

— **Lucas d'Anjos, 20 anos, Fortaleza/CE**

"Ao viajar algumas vezes para a Europa, percebi que não se deve ter medo de formular frases, mesmo que saiam incorretas, pois as pessoas te compreendem e ajudam no essencial. Nas respostas delas, procure prestar atenção para checar a conjugação que te respondem. Escutar é muito bom para você corrigir o que errou na pergunta. Lembre-se que eles nunca mais te verão outra vez naquele lugar e fale sem receios, hahaha."

— **Andressa Lima, 38 anos, Curitiba/PR**

"Eu comparo aprender inglês a dirigir: quem não sabe, morre de medo, mas essa mesma pessoa após um período se torna um excelente motorista. Tenho 49 anos e estou tendo alguma dificuldade, mas não vou desistir."

— **Fernando Silveira, 49 anos, Salvador/BA**

"Quando eu era criança, achava que falar inglês era como ter acesso a um código secreto, levando em conta que todo mundo do meu mundo só falava português. Aprendi inglês fluentemente no Brasil e, assim que terminei meu curso de Letras na Unicamp, vim para os Estados Unidos ser *au pair*. Hoje eu entendo que não faz quinze anos que eu aprendi inglês, faz quinze anos que eu venho aprendendo inglês todos os dias."

— **Laís Gonçalves, 31 anos, de Sumaré/SP, vivendo em Miami**

Assim que se sentir confiante e descobrir as melhores técnicas para o seu aprendizado, escreva o seu depoimento aqui e empreste o livro para outra pessoa, de modo que ela possa se inspirar em você!

LEIA MAIS

Capítulo 1

CHOMSKY, N. *Syntactic structures.* Haia, Holanda: Mouton, 1957.

CORDER, S. P. The significance of learner's [sic] errors. International Review of Applied Linguistics. *Language Teaching,* n. 5, p. 161-70, 1967.

ELLIS, R. The Study of Second Language Acquisition. Nova York: Oxford University Press, 2003.

GARDNER, R.C. *Social psychology and second language learning.* Londres: Edward Arnold, 1985.

KRASHEN, S. D. *Second language acquisition and second language learning.* Oxford: Pergamon Press Inc., 1981.

Capítulo 2

BIALISTOK, E.; HAKUTA, K. Confounded age: linguistic and cognitive factors in age differences for second language acquisition. In: BIRDSONG, D. (ed.). *Second language acquisition and the critical period hypothesis.* Mahwah, Nova Jersey: Lawrence Erlbaum Associates, 1999.

BIRDSONG, D. Age and second language acquisition and processing: a selective overview. *Language Learning,* v.56, n.1, p. 9-49, 2006.

_____. Ultimate attainment in second language acquisition. *Language,* v. 68, n. 4, p. 706-755 dez. 1992.

CHOMSKY, N. *Knowledge of language: its origin, nature and use.* Nova York: Praeger, 1986

CURTISS, S. *Genie: Psycholinguistic study of a modern-day "wild child"*. Londres: Academic Press Inc., 1977.

LENNEBERG, E. *The biological foundations of language*. Nova York: Wiley and Sons, 1967.

KUHL, P. K. Early language acquisition: cracking the speech code. *Nature Reviews Neuroscience*, n. 5, p. 831-843, 2004.

MAHER, K. M. Neuroplasticity in the SLA classroom: connecting brain research to language learning. In: SONDA, N.; KRAUSE, A. (Eds.), *JALT2012 Conference Proceedings...* Tóquio: JALT, 2013.

Capítulo 3

BRETT, A., R, L.; HURLEY, M. Vocabulary acquisition from listening to stories and explanations of target words. *The Elementary School Journal*, n. 96, p. 415-422, 1996.

CAREY, B. *How we learn*: the surprising truth about when, where, and why it happens. Nova York: Random House, 2014.

ELLIS, R. *et al. Implicit and explicit knowledge in second language learning, testing and teaching*. Bristol, Inglaterra: Short Run Press, 2009.

LEWIS, M. *The lexical approach*: the state of ELT and the way forward. Hove, Inglaterra: Language Teaching Publications, 1993.

_____. *Implementing the lexical approach*: Putting theory into practice. Hove, Inglaterra: Language Teaching Publications, 1997.

LIMA, *D. Gramática de uso da língua inglesa* – a gramática do inglês na ponta da língua. Rio de Janeiro: Campus Elsevier, 2010.

Capítulo 4

ALVES, U. K. Consciência dos aspectos fonético-fonológicos da L2. In: LAMPRECHT, R. (org). *Consciência dos sons da língua:* subsídios teóricos e práticos para alfabetizadores, fonoaudiólogos e professores de língua inglesa. Porto Alegre: EdiPUCRS, 2009.

COLLISCHONN, G. A Sílaba em Português. Em: BISOL, L. Introdução a estudos de fonologia do português brasileiro. Porto Alegre: EdiPUCRS, 2005. 296 p.

CRISTÓFARO SILVA, T. Fonética e Fonologia do Português: roteiro de estudos e guia de exercícios. 10. ed. São Paulo: Contexto, 2010.

CRYSTAL, D. *English as a global language.* Cambridge: Cambridge University Press, 1997.

FRAGOZO, C. S. *Aquisição de regras fonológicas do inglês por falantes de português brasileiro.* Tese (Doutorado em Linguística). São Paulo: USP, 2017.

_____. Vozeamento do morfema *-s* do inglês por aprendizes brasileiros: a influência de regras fonológicas da L1 sobre a L2. *Matraga*, Rio de Janeiro, v. 24, n. 41, mai.-ago. 2017.

HEWINGS, M. *English pronunciation in use:* self-study and classroom use, Advanced. Cambridge: Cambridge University Press, 2007.

JENKINS, J. *World Englishes. A resource book for students.* Routledge English language introductions. Londres e Nova York: London Routledge, 2003.

MASSINI, G. *Acento e ritmo.* São Paulo: Contexto, 1992.

MEISEL, J. *First and second language acquisition*: parallels and differences. Cambridge: Cambridge University Press, 2011.

MOYER, A. Ultimate attainment in L2 phonology. *Studies in Second Language Acquisition*, v. 21, p. 81–108, 1999.

PENNINGTON, M. Phonology in *English language teaching: an international approach*. Londres: Longman, 1996.

SELINKER, L. Interlanguage. *International Review of Applied Linguistics*, p. 209-230, 1972.

YAVAS, M. *Applied English Phonology*. Malden: Blackwell Publishers, 2006.

Capítulo 5

BROWN, D. H. *Teaching by Principles: An Interactive Approach to Language Pedagogy*. Estados Unidos: Pearson Longman, 2007.

COHEN, A. Which language do/should multilinguals think? *Language, Culture and Curriculum*, v. 8, n. 2. 1995.

HARMER, J. *The practice of English language teaching*. Londres: Longman, 2007.

HINKEL, E. Current perspectives on teaching the four skills. In: *TESOL Quarterly*, v. 40, n. 1, p. 157-181, Estados Unidos: mar. 2006.

JING, W. Integrating skills for teaching EFL — activity design for the communicative classroom. *Sino-US English Teaching*, v. 3, n. 9, dez 2006.

KRASHEN, S. *The input hypothesis*. Harlow, Inglaterra: Longman, 1985.

PINKER, S. *The language instinct*: how the mind creates language. Nova York: William Morrow and Company, 1994.

RICHARDS, J. C. *Moving beyond the plateau: from intermediate to advanced levels in language learning*. Disponível em: https://www.professorjackrichards.com/wp-content/uploads/moving-beyond-the-plateau.pdf. Acesso em: 15 abr. 2018.

SCHMIDT, R. The role of consciousness in second language learning. *Applied Linguistics*, n. 11, p. 129-159, 1990.

SWAIN, M. Communicative competence: Some roles of comprehensible input and comprehensible output in its development. In S. Gass & C. Madden (Eds.), Input in second language acquisition. Cambridge, Massachusetts: Newbury House, 1985.

_____. The output hypothesis: theory and research. In E. Hinkel (Eds.). Handbook of Research in Second Language Teaching and Learning (pp. 471-483). Mahwah, Nova Jersey: Lawrence Erlbaum, 2005.

TANAKA, Y. *Comprehension and L2 acquisition*: the role of interaction. Tóquio: Temple University Japan, 1991. In.: ELLIS, R. *The study of second language acquisition*. Oxford: Oxford University Press, 1994. (Unpublished paper).

YAMAZAKI, A. The effect of interaction on second language comprehension and acquisition. Tóquio: Temple University Japan, 1991. In: ELLIS, R. *The study of second language acquisition*. Oxford: Oxford University Press, 1994. (Unpublished paper).

AGRADECIMENTOS

Este livro não teria chegado às suas mãos sem o incentivo e a ajuda de várias pessoas. Agradeço:

A toda a equipe da HarperCollins Brasil pela confiança, pelo acolhimento e por me ajudarem a transformar uma ideia em um livro.

À Mônica Monawar, pelas discussões a respeito do conteúdo deste livro antes mesmo de ele existir.

Ao Magnun Madruga, pela amizade e pelas contribuições ao manuscrito do livro.

À Andreia Rauber, pela leitura atenta do manuscrito e por vibrar com as minhas conquistas dentro e fora da academia.

À Raquel Santana Santos, minha orientadora de doutorado, pelos ensinamentos e pelo apoio ao projeto *English in Brazil*.

Aos amigos e colegas Armando Silveiro, Arthur Santana, Andressa Toni, Graziela Bohn e Melanie Angelo, por estarem sempre dispostos a ajudar e contribuir.

À Jaqueline, minha irmã, pelas discussões sobre o aprendizado do inglês desde que esse assunto passou a fazer parte das nossas vidas.

Aos meus pais, Paulo e Tânia, por me incentivarem a seguir os estudos e pelo orgulho que sentem a cada conquista.

Ao Anselmo, meu esposo, por sempre me encorajar a ir além.

A todos que, direta ou indiretamente, contribuíram para a realização deste livro.

Thank you so much!

*ste livro foi impresso em 2024, pela Vozes, para a HarperCollins Brasil.
A fonte usada no miolo é PT Serif Caption, corpo 9. O papel do miolo é Chambril Avena 80 g/m².*